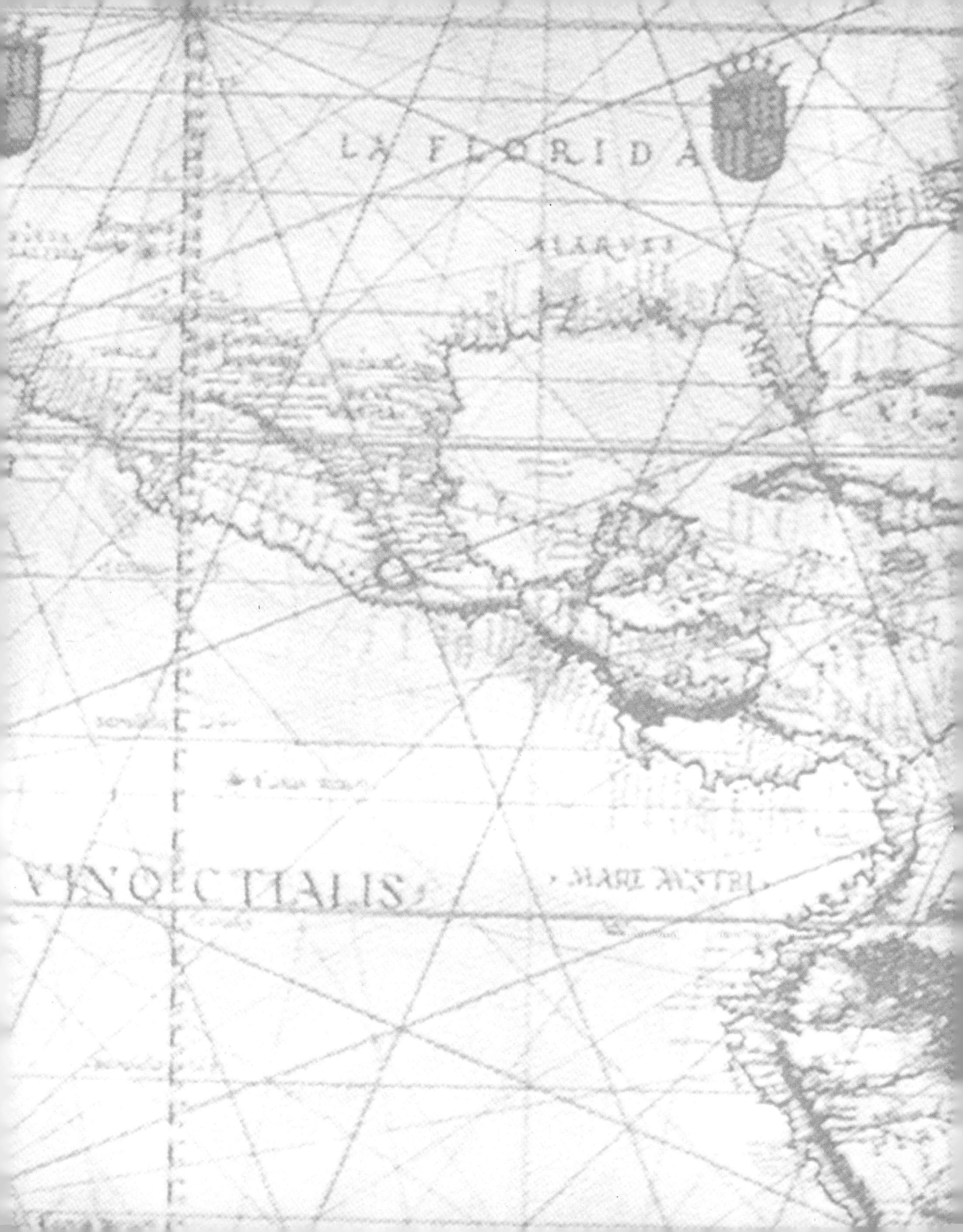
LA FLORIDA
NOCTIALIS
MARE AVSTRI

한 권으로 읽는

미국사

김은빈 엮음 | 백정현 그림

지경사

미국, 역사는 짧지만
세계 최강대국으로 우뚝 선 나라

한국에서 비행기를 타고 가도 13시간이 넘어야 도착하는 아주
먼 나라 미국! 거리는 멀지만 알고 보면 미국은 한국과 매우
가까운 나라이기도 하다.
어른들이 보는 신문을 펼쳐 보면,
'미국의 북한 핵 정책'
'미국과 한국의 자유 무역 협상'
'한국 자동차 미국 시장에서 인기'
등의 기사에서 볼 수 있듯이 가장 자주 등장하는 나라가
미국이다. 그만큼 미국은 한국의 정치, 경제, 문화와 깊은 관계를
가진 나라라는 뜻이다.
미국은 우리의 생활과도 무척 관계가 깊다.
한국말을 제대로 읽고 쓰는 것도 간단한 일이 아닌데, 왜 우리는
영어를 배워야 할까? 그 이유는 영어가 세계에서 가장 영향력이
있는 언어기 때문이다. 영어를 어느 정도쯤은 해야 나중에 공부를
하든 직장 생활을 하든 불편함이 없다.
어떤 나라의 문화와 민족을 잘 이해하려면 우선 그 나라의 역사에

대해서 잘 알아야 한다. 미국도 이와 마찬가지다.

미국의 역사는 중국과 비교하면 간단하다고 할 수 있다. 다른 나라보다 역사가 훨씬 짧기 때문이다. 그러나 미국은 다양한 인종과 민족이 모여 사는 나라기 때문에 반드시 알아야 할 특징들도 있다.

미국의 역사를 어느 정도 알면 나중에 미국 친구를 만나든, 미국에 여행을 가든 여러분에게 조금이라도 도움이 될 것이다. 또 우리 나라가 미국을 상대할 때 어떤 태도를 가지는 것이 좋은지도 알게 될 것이다.

그럼 지금부터 미국의 역사 속으로 들어가 보자.

미국 역사는 아주 오래 전, 바다 너머 새로운 세계로의 모험을 꿈꾸던 어느 이탈리아 사람의 이야기에서부터 시작된다. 그 사람의 이름은 바로 콜럼버스다.

엮은이 | 김은빈

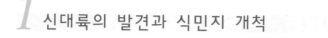

차 례

1 신대륙의 발견과 식민지 개척

독립 선언과 미국의 탄생 2

3 남북의 분열과 발전

세계로 뻗어 가는 미국 제국주의 4

5 20세기 최강대국을 이룬 미국

냉전 시대의 시작과 끝 6

7 한국과 미국의 역사

1

신대륙의 발견과 식민지 개척

- 콜럼버스의 신대륙 발견
- 영국의 제임스타운 건설
- 프렌치-인디언 전쟁

콜럼버스의 신대륙 발견

신대륙 발견 : 1492년

1492년 8월, 120명의 선원을 태운 세 척의 배가 스페인(에스파냐)의 팔로스 항구를 출발했다. 세 척의 배 중 가장 큰 배는 '산타 마리아 호'라는 배였다. 이 배들은 당시 스페인을 다스리던 이사벨 여왕으로부터 대서양 너머의 새로운 땅을 발견해서 스페인의 땅으로 만들라는 지시를 받고 유럽 땅을 떠났다.

"아, 마침내 내가 평생 꿈꿔 온 일이 이루어지는구나!"

배가 출발할 때 가장 감격한 사람은 배를 지휘하던 스페인 장교가 아니었다. 바로 이탈리아 사람 콜럼버스였다. 그는 오래전부터 이 항해를 계획하고 실행으로 옮긴 사람이었다.

그는 오랫동안 유럽의 왕과 귀족들에게 자신의 뜻을 밝혔다.

"대서양 저 너머에는 황금과 향료가 넘쳐나는 땅이 있습니다."

콜럼버스가 가려고 했던 땅은 예로부터 황금과 향료가 많이 난다는 소문이 전해 내려온 동양의 땅 인도였다. 향료는 유럽 사람들에게 인기가 좋은 식품이어서 향료를 유럽에 많이 가져오면 큰 부자가 될 수 있었다.

당시 유럽에서 동양으로 가려면 육로, 즉 땅으로 난 길을 따라 중동 지방을 거쳐야 했다. 그러나 당시의 중동 지방은 힘이 센 이슬람 제국이 다스리고 있었다. 다른 방법은 바다를 통해 가는 것뿐이었다.

문제는 그 당시 유럽 사람들에게는 대서양 너머 먼 바다에 대한 정보가 거의 없었다는 점이다. 대서양 너머로 너무 멀리 나가면 큰 낭떠러지가 있어 배가 추락한다고 믿는 사람들도 많았다. 그런 사람들은 지구가 네모난 모양을 하고 있다고 생각하였다.

그러나 콜럼버스는 생각이 달랐다. '지구는 둥글다. 스페인에서 바다를 따라 서쪽으로 계

미국

중국 사람들은 미국을 '메이리젼(美利堅)'이라고 불렀다. 중국보다 미국을 늦게 알았던 조선 시대에 우리는 중국의 예를 따라 '미국(美國)'이라고 불렀다. 일본에서는 미국을 '米國'이라고 쓰고 '베이코쿠'라고 발음한다.

스페인의 이사벨 여왕으로부터 도움을
받아 신대륙을 발견한 콜럼버스

속 가다 보면 언젠가는 동양에 도착할 수 있다!' 그가 동양에 그토록 가고 싶어했던 이유는 바다로 난 새로운 무역 통로를 개척할 경우, 동양과의 무역을 독점해서 부자가 될 수 있다고 생각했기 때문이다. 배와 사람과 돈이 없었던 콜럼버스는 자신의 항해를 지원해 줄 사람을 찾아 부지런히 돌아다녔다.

이윽고 콜럼버스가 이사벨 여왕으로부터 지원을 받은 것은 그가 후원자를 찾아 나선 지 7년 만의 일이었다.

점점 먼 바다로 나아갈수록 스페인 선원들은 두려움에 떨었다. 머지않아 바다의 끝이 나올 거라고 생각했던 것이다. 그 곳에서 배가 곤두박질쳐서 떨어진다면 도대체 어떻게 살 수 있다는 말인가?

그러나 바다 낭떠러지는 없었다. 스페인을 떠난 지 33일이 되던 날 밤, 갑판을 왔다 갔다 하던 콜럼버스는 수평선 너머로 희미한 불빛이 반짝이는 것을 발견했다. 바로 아메리카 신대륙이 발견되는 순간이었다.

이주민에게 짓밟힌
신대륙의 주인

콜럼버스의 두 번째 원정 : 1493년

"보라, 불빛이다! 불빛은 사람이 살고 있다는 증거다! 우리는 마침내 신대륙에 도착했다!"

흥분한 콜럼버스는 소리를 질렀다. 그러나 다른 사람들은 그 사실을 쉽게 믿으려 하지 않았다. 배가 다가갈수록 불빛은 점점 선명해졌다. 콜럼버스의 생각이 맞았던 것이다.

해가 떠오르면서 마침내 새로운 땅이 모습을 드러냈다. 야트막한 해변 너머로 숲이 보였다. 콜럼버스는 배에 실린 작은 보트를 바다에 띄우고 그 위에 올라탔다. 보트는 점점 땅에 다가갔다. 저 멀리 육지에서 옷도 제대로 걸치지 않은 사람들이 놀란 눈으로 조금씩 다가오는 콜럼버스 일행을 바라보고 있었다.

신대륙에 사는 사람들은 피부가 붉고 키가 컸다. 몸에 색칠을

한 사람도 있었다. 콜럼버스는 그들을 '인도에 사는 사람'이라는 뜻으로 '인디언'이라 불렀다.

콜럼버스 일행을 발견한 인디언들은 유럽 사람들을 친절하게 맞아 주었다. 그런데 한참 동안 인디언 마을을 살핀 콜럼버스는 실망하고 말았다. 이 조그마한 섬은 그가 그토록 찾던 금과 향료가 넘쳐나는 동양의 나라와는 거리가 멀어 보였던 것이다. 또한 그 곳에 살고 있는 사람들의 차림새만 봐도 금 따위는 없음이 분명하였다.

콜럼버스 일행은 다시 항해를 시작했다. 그리하여 지금의 쿠바와 히스파니올라(아이티)를 더 발견했는데, 그 곳에도 원주민들이 살고 있었다. 그러나 금은 어디에도 보이지 않았다.

콜럼버스가 신대륙에 상륙하여 인디언들과 만나는 모습을 표현한 판화

금을 찾는 데 실패한 콜럼버스 일행은 이듬해 3월, 스페인으로 돌아왔다. 돌아오는 길에 콜럼버스는 폭풍우를 만나 배가 부서지는 시

콜럼버스 원정대에 체포되는 인디언 원주민의 모습

련을 겪기도 했다. 그들이 타고 온 배에는 황금 대신 섬에서 데려온 여섯 명의 인디언과 당시 유럽에는 없었던 앵무새가 실려 있었을 뿐이다.

그렇다면 콜럼버스가 도착한 그 곳은 어디였을까? 신대륙의 한 부분인 그 곳은 오늘날의 미국이 아니다. 미국 땅은 그 섬에서 북쪽으로 더 올라간 곳에 자리잡고 있었다. 콜럼버스가 처음 발을 내디딘 곳은 현재 미국의 아래쪽에 있는 바하마 제도에 속한 섬들이었다.

황금의 땅을 발견하는 데는 실패했지만 새로운 땅을 발견한 콜럼버스는 스페인에 도착한 뒤 영웅 대섭을 받았다. 그 뒤

신대륙

15세기, 콜럼버스가 처음
발견한 대륙은 유럽
사람들에게 신대륙이
아니었다. 당시 유럽
사람들은 미국보다 먼저
발견한 아프리카 대륙을
신대륙이라고 불렀다.

1493년, 콜럼버스는 새로운 원정대를 조직해서 또다시 대서양을 향해 떠났다.

두 번째 항해 도중 콜럼버스 원정대는 땅을 차지하는 과정에서 원주민인 인디언들과 전투를 벌이기도 했다. 그러나 인디언들은 총으로 무장한 스페인 사람들의 상대가 되지 못했다.

콜럼버스는 첫 번째 항해 때 발견한 히스파니올라에 유럽인이 세운 최초의 도시인 이사벨라를 건설했다. 그런데 이사벨라 시를 세우느라 돈이 부족해진 콜럼버스는 섬에 살고 있던 인디언들을 붙잡아 스페인으로 보내, 노예로 팔아서 모자란 비용을 보충했다. 황금의 땅을 찾으려고 먼 바다를 모험했던 탐험가는 자기 목적을 이루기 위해 노예 사냥꾼 역할까지 한 것이다.

이후에도 콜럼버스는 두 차례 더 대서양을 항해해서 수많은 섬을 발견했다. 이를 계기로 콜럼버스에 이어 더 많은 스페인 탐험가들이 신대륙에 건너왔다. 신대륙에 살던 인디언들 중 운이 나쁜 사람은 스페인에 노예로 팔려 가기도 했다.

콜럼버스의 항해 이야기가 유럽에 전해지면서 유럽 사람들은 더이상 대서양 너머로 항해하는 것을 두려워하지 않게 되었다. 그리고 전보다 훨씬 많은 사람들이 더 넓은 땅과 보물을 찾기 위해 항해에 뛰어들었다.

그러나 그들이 발견한 대서양 너머에 있는 땅은 동양이 아니었다.

이탈리아의 탐험가 아메리고 베스푸치. 그의 이름을 따서 '아메리카'라는 명칭이 생겨났다.

훗날 아메리고 베스푸치 등 여러 탐험가들에 의해 오늘날 브라질 등이 위치한 남아메리카 지역, 멕시코 등이 있는 중앙 아메리카 지역, 미국과 캐나다가 있는 북아메리카 지역으로 이루어진 거대한 신대륙의 존재가 알려졌다. '아메리카'라는 명칭도 탐험가 아메리고 베스푸치의 이름에서 생겨난 것이다.

신대륙의 발견은 유럽 사람들에게 자기 나라 땅을 넓힐 수 있는 좋은 기회였다. 그러나 신대륙 곳곳에 살고 있던 인디언들에게는 거다란 재앙이었다.

신대륙의 첫 주인

콜럼버스가 인디언이라고 불렀던 사람들은 오랫동안 신대륙에서 살던 사람들이었다. 그들의 조상은 아시아 대륙에서 건너온 사람들로, 몽골족에 속했다. 아시아 대륙으로부터 건너온 사람들이 신대륙에 최초로 살기 시작한 것은 약 2만 년 전의 일이다.

그렇다면 어떻게 아시아에 살던 사람들이 아메리카 대륙으로 건너갔을까? 인류학자들은 여러 가지 유물을 통해 다음과 같은 역사적인 추리를 하고 있다.

아시아에 살던 사람들이 5,000km나 떨어진 아메리카 대륙으로 건너간 이유는 그들이 살던 곳의 기후가 건조해져서 먹고살

기 힘들어졌기 때문이다(지금도 그 곳은 고비 사막과 같은 황무지가 많다). 풍요로운 땅을 찾아 나선 인디언의 조상들은 아시아 대륙과 아메리카 대륙이 가장 가까이 마주 보고 있는 바다의 해협(오늘날의 베링 해협)을 건넜다.

조그마한 배를 타고 40km의 바닷길을 건넌 인디언들이 최초로 도착한 곳은 오늘날의 알래스카 지방이었다. 그 곳은 1년 내내 추운 곳이었다. 인디언들은 따뜻한 곳을 찾아 남쪽으로 내려갔고, 바로 이들이 아메리카 대륙 인디언의 조상이 되었다.

인디인들은 수천 년의 세월 동안 원시적인 농사를 짓거나 사

베링 해

아시아 대륙과 북아메리카
대륙이 가장 가까이 마주
보고 있는 곳. 그 사이를
흐르는 바다가 베링 해다.
인디언 조상이 아메리카
대륙으로 갈 때 건너간 곳도
베링 해였다. 수만 년 전
베링 해는 육지와 연결되어
있었다.

냥을 하며 먹고살았다. 그들은 인구가 늘고 더 멀리 이동하면서 다시 여러 부족으로 갈라지게 되었다.

또한 그들 중 일부는 오늘날의 캐나다—미국—멕시코 지역을 지나 카리브 해의 여러 섬들로 이동하였다. 또 어떤 부족은 더 남쪽인 남아메리카 대륙으로 내려갔다. 각 지역마다 기후가 다르기 때문에 같은 인디언인데도 수천 년의 세월이 지나면서 피부색과 키가 조금씩 달라지게 되었다.

인디언은 자연 앞에 매우 겸손한 사람들이었다. 그들은 땅과 사람 그리고 모든 동물이 다 자연의 것이라고 생각하였다. 사람과 동물의 영혼은 죽어서도 영원히 존재한다고 믿었다. 공동으로 농사를 지어서 공동으로 나눠 먹는 풍속이 이어져 내려온 그들에게는 개인 재산에 대한 욕심도 없었다. 또한 다른 부족이 사는 땅에 대한 욕심이 없었기 때문에 전쟁도 거의 일어나지 않았다.

미국 미네소타 주에 있는 미시시피 강은
'위대한 강' 이라는 뜻의 인디언 말에서 유래되었다.

물론 미국은 유럽에서 건너온 백인들이 세운 나라다. 그러나 지금도 미국의 자연과 문화에는 인디언들의 영향이 많이 배어 있다. 대표적인 것이 미국에 있는 여러 산과 강, 지역의 이름이다.

미국을 구성하는 주의 이름도 인디언 말에서 나온 것들이 많다. 호수가 많은 지방인 미시간은 '위대한 호수', 미시시피는 '위대한 강' 이라는 뜻을 가진 인디언 말이다. 이 외에도 위스콘신(물이 모이는 곳), 아이오와(아름다운 땅) 등의 이름이 인디언 말에 그 뿌리를 두고 있다.

스페인 정복자들과
고대 왕국의 멸망

잉카 제국의 멸망 : 1533년

콜럼버스의 신대륙 발견 이후 아메리카 대륙은 오랫동안 스페인의 독차지가 되었다. 이 무렵 영국이나 프랑스 같은 강대국은 국내 사정 때문에 바다 건너 신대륙에 관심을 쏟기 힘들었다.

스페인이 신대륙을 찾아 나선 것은 금과 은을 찾기 위해서였다. 얼마 안 가 스페인 사람들은 콜럼버스가 처음 발견한 서인도 제도의 원주민들을 노예로 부려서 싼값에 농사를 지어 신대륙에서 생산한 특산품을 스페인으로 가져왔다. 스페인 사람들의 눈에 비친 인디언은 단지 미개한 민족, 얼마든지 부려먹어도 상관없는 존재에 불과했다.

서인도 제도 주변의 중앙 아메리카에 이어 그 아래의 남아메리카 대륙도 연이어 스페인의 지배하에 들어갔다. 당시 이 곳에

페루의 쿠스코에 있는 잉카 최후의 도시
마추픽추 유적

는 아즈테카 왕국, 잉카 왕국 등 인디언들이 세운 오래 된 왕국들이 있었다.

스페인의 군대 앞에 오랜 세월을 버텨 온 왕국들은 힘없이 무너지고 말았다. 병사의 수에서는 인디언 왕국의 군대가 앞섰지만 스페인 군대에게는 무시무시한 총과 대포가 있었다.

스페인의 군대를 이끈 정복자 중 가장 유명한 사람은 코르테스와 피사로란 사람이었다. 코르테스는 1519년 소수의 병력으로 아즈테카 왕국을 점령하였다. 또한 1533년 피사로 역시 수백 명의 군대만으로 잉카 제국을 정복하였다.

그리하여 16세기 중반에는 아르헨티나 일부만을 제외한 중남미 지역 전체가 스페인이 지배하는 땅이

스페인의 코르테스는 소수의 병력으로
아즈테카 왕국을 점령하였다.

중부의 넓은 고원 지대에 위치한 멕시코의 수도 멕시코시티

되었다. 스페인 사람들은 아메리카 대륙 곳곳에 새로운 도시를 세웠다. 오늘날 멕시코의 수도인 멕시코시티, 페루의 수도인 리마 같은 도시들이 그런 곳들이다.

남아메리카 대륙에는 금과 은이 매우 많았다. 스페인 사람들에게 약탈당한 수많은 금과 은이 스페인으로 흘러 들어갔고, 스페인은 신대륙을 발견한 지 100년도 되지 않아 세계에서 가장 넓은 땅과 가장 많은 보물을 가진 강대국이 되었다.

한편, 북아메리카 대륙은 아메리카 지역에서 가장 늦게 유럽인의 발길이 닿은 곳이었다. 북아메리카 대륙을 처음 탐험한 사람들도 역시 스페인 사람들이었다.

그들은 탐험대를 조직해 미국의 남부 지역인 마이애미에서부터 시작하여 북쪽으로 올라가며 북아메리카 대륙을 정복했다. 그러나 스페인의 북아메리카 대륙 정복은 남아메리카나 중앙 아메리카에 비해 속도가 늦은 편이었다. 금과 은이 많이 나는 남아메리카 정복에 더 열중했기 때문이다.

시간이 흘러 스페인의 세력이 약해진 틈을 타 유럽의 다른 나라들도 북아메리카 땅에 눈독을 들이게 되었다. 영국과 프랑스가 대표적인 나라로, 스페인에게 처음 도전장을 낸 나라는 영국이었다.

해양 강국

16세기에는 바다를 지배하는 나라가 강대국이었다. 유럽 국가 중 바다를 지배한 강대국은 네 나라였다. 스페인과 포르투갈, 영국과 네덜란드다. 당시 독일과 프랑스는 바다에 눈을 돌리지 못하고 있었다.

아메리카 대륙에
진출한 영국

제임스타운 건설 : 1607년

영국은 16세기 중반까지 종교 분쟁에 휘말리고 있었다. 구교라 부르는 가톨릭과 독일의 루터가 내세운 개신교, 즉 기독교 세력 사이의 갈등은 영국의 정치를 매우 혼란스럽게 하였다. 종교 분쟁이 수습이 된 것은 1558년 엘리자베스 여왕이 왕위에 오르면서부터다.

영국은 스페인의 신대륙 정복에 관한 소식을 잘 알고 있었다. 이 때부터 여왕과 귀족은 물론 돈을 투자할 곳을 찾던 부자들 그리고 일반 국민들도 신대륙

가톨릭과 기독교 사이의
종교 분쟁을 수습한
엘리자베스 여왕(1세)

진출에 대해 관심을 쏟기 시작하였다.

영국이 신대륙에 진출하기 위해서는 유럽과 신대륙 사이에 있는 바다인 대서양에서 스페인의 해군을 물리쳐야 했다. 당시 스페인 해군은 세계 최강이라서 '무적 함대'라는 별명을 가지고 있었다.

해군의 힘을 키운 영국은 1588년 대서양에서 스페인 해군과 맞붙었다. 양국의 운명을 건 이 결투에서 승리한 것은 영국 해군이었다.

대서양에서 군사 지배권을 확보한 영국은 스페인이 아직 완전히 정복하지 않은 미지의 땅 북아메리카 대륙을 향해 거침없이 진군했다. 군대

세계 최강을 자랑하던 스페인의 해군 '무적 함대'

가 맨 앞장을 섰고 이전에 영국에서 일어난 종교 분쟁 때문에 살기 힘들어진 기독교인들, 농민과 가난한 사람들, 일확 천금을 노리는 투기꾼, 경찰의 추적을 피하려는 범죄자들이 그 뒤를 따라 신대륙으로 떠났다.

신대륙 개척의 지도자들은 엘리자베스 여왕으로부터 임명을 받은 귀족과 장군들이있다. 가장 유명한 개척자는 월터 롤리라

는 귀족이었다. 그는 플로리다 북쪽의 땅을 정복한 뒤 그 지역을 '버지니아 지방'이라고 불렀다. 이 이름은 영어로 처녀를 뜻하는 'virgin(버진)'에서 나온 말인데, 영국의 엘리자베스 여왕이 평생을 처녀로 살았기 때문에 여왕을 기리기 위하여 붙인 이름이었다(영국이 처음 개척한 버지니아 지방은 지금의 사우스캐롤라이나 지역이다).

엘리자베스 여왕이 죽은 뒤 영국 정치는 다시 혼란에 빠졌다. 그러자 혼란스런 영국을 떠나 신대륙에 발을 내딛는 사람의 수는 더 증가하였다. 특히 부자들 중에는 돈을 모아 회사를 차려 신대륙에 투자를 하는 사람들이 늘어났다. 그 결과 17세기 말 오늘날 미국의 동부 해안 지방에 수많은 영국의 식민 도시들이 생겨났다.

투자 회사가 세운 최초의 식민 도시는 1607년 영국인 104명이 신대륙에 도착해서 세운 제임스타운이었다. 제임스타운은 오늘날 미국에서 가장 많은 사람이 모여 사는 곳인 동부 해안에 세워졌다.

영국인이 처음 이 도시를 건설할 때만 해도 이 곳은 숲이 우거지고 말라리아 같은 열대병에 걸리기 쉬운 곳이었다. 따라서 이민 온 사람 대부분이 새로운 환경에 적응하지 못하고 병으로

죽기도 했다.

북아메리카 대륙은 남아메리카 대륙처럼 금과 은이 풍부하지 않았다. 대신 거기에는 영국 사람들이 본 적 없는 식용 식물들이 자라고 있었다. 바로 감자와 담배였다. 감자는 유럽으로 건너가 흉년이 들었을 때 사람들의 배를 채워 주는 소중한 먹을거리가 되었고, 담배는 유럽에서 큰 인기를 끌어 영국인들은 담배 재배를 통해 큰돈을 벌 수 있었다. 얼마 안 가 영국 사람들은 버지니아 지방 하면 담배부터 떠올리게 되었다.

영국인들은 버지니아 지방은 물론 캐롤라이나, 조지아 등 오늘날 미국 대륙의 남부 지방에 큰 규모의 농장을 세웠다. 이 농장의 주인들은 훗날 농장의 일꾼이 부족해지자 노예 상인들로부터 아프리카에서 흑인들을 사 와서 일꾼으로 부렸다. 이 때 아프리카에서 끌려온 흑인들이 현재 미국 흑인들의 조상이 되었다.

신대륙과 영국 사이에 무역 거래가 활발해지면서 더 많은 영국 사람들이 신대륙으로 건너갔다. 신대륙에 건너온 사람들은 아주 싼 가격에, 때로는 공짜로 신대륙의 넓은 땅을 자기 소유로 만들 수 있었다.

한편, 종교적인 박해를 피해서 신대륙에 건너온 영국 사람들도 있었다. 1620년, '메이플라워 호'란 배를 타고 버지니아 지방 북쪽에 있는 땅에 도착한 청교도들이었다.

종교의 자유를 찾아 아메리카 대륙으로 떠난 청교도들의 배

당시 영국은 로마 교회로부터 독립하여 왕이 교회의 우두머리를 겸하는 종교인 성공회 국가였다. 여기에 반대하던 청교도들은 왕의 탄압을 받아야 했다. 결국 이들

은 종교의 자유를 위해 네덜란드로 도망쳤고, 영국의 투자 회사는 그들에게 신대륙의 소식을 알려 주었다. 그리하여 네덜란드에 있던 수많은 청교도들이 완전한 종교의 자유를 찾아 신대륙으로 떠났다.

청교도들은 자신들이 도착한 곳을 새로운 영국, 즉 '뉴잉글랜드'라고 불렀다. 그리고 오늘날의 보스턴 지역에 플리머스란 식민지를 세웠다.

"미국은 청교도가 자유를 찾아서 유럽을 떠나 개척한 희망의 땅이다."

요즘도 미국 사람들은 청교도들을 미국 개척의 아버지로 여기며 자랑스러워한다. 그러나 이것은 완전한 사실이 아니다. 앞에서 본 것처럼 청교도들이 세운 플리머스보다 먼저 제임스타운 식민지를 세운 사람들이 미국인들의 첫 조상이기 때문이다. 그러나 제임스타운의 사람들이 신대륙으로 건너온 가장 큰 이유는 종교의 자유가 아니라 부자가 되기 위함이었다.

추수 감사절
청교도들은 플리머스에서 처음으로 농사를 지어 수확한 날을 신에게 감사하는 날로 특별하게 기념하였다. 지금도 해마다 미국 사람들은 이 날을 추수 감사절로 기념하고 있다.

양키

외국 사람들이 미국인을 부를 때 자주 쓰는 말이 '양키'다.
세계 곳곳에서 학생들이 미국에 반대하는 시위를 할 때 자주
등장하는 구호도 '양키, 고 홈(Yankee, go home)!'이다.
여기에는 '미국인들은 남의 나라 일에 간섭하지 말고 너희
나라로 돌아가라'는 뜻이 담겨 있다.

양키라는 말이 처음 생긴 것은 영국이 미국 식민지를 개척하던
시대로 거슬러 올라간다. 17세기 신대륙에 도착한 세력은 크게
둘이었다. 버지니아 지방에 제임스타운을 건설한 영국
사람들과 뒤이어 뉴잉글랜드 지방에 플리머스를 건설한
청교도들이다. 그 뒤로는 네덜란드 사람들이 이 지역으로
건너왔다.

남부의 영국인들은 자신들이 영국의 전통을 이어받았다는
자부심이 있었다. 시간이 흘러 농장 주인을 하며 돈을 번
남부의 영국인들은 귀족 행세를 했다.

하지만 북부는 달랐다. 플리머스를 건설한 청교도들은 과거
영국에서 탈출해 네덜란드로 피해 갔다가 다시 신대륙으로

건너온 사람들이 많았다. 또 플리머스 주변에는 네덜란드 사람들이 개척한 도시도 있었다.

네덜란드에서는 가장 흔한 이름이 '얀(영어로 표현하면 존 'John')'이었다. '얀'은 처음에 미국으로 이민 온 네덜란드 사람을 가리키는 말이 되었다가, 미국 남부 사람들이 북부의 사람들을 낮춰 부르는 말로 발전하였다. 훗날 미국에서 일어난 내란인 남북 전쟁 때 남부 사람들은 '양키를 무찌르자'는 구호를 외치며 전쟁터로 나가 북부 사람들과 싸웠다.

식민지를 개척한 영국

종교의 자유를 찾아 신대륙으로 건너온 것은 청교도뿐만이 아니었다. 기독교의 한 파인 퀘이커교를 믿는 사람들 중에도 신대륙으로 건너간 사람들이 있었다. 그들은 성경이나 교회의 권위를 인정하지 않고 대신 형제애와 평화를 가장 소중하게 생각하는 기독교 신자들이었다.

퀘이커교를 믿는 사람 중에 윌리엄 펜이라는 귀족이 있었다. 그는 이미 뉴저지 지방의 식민지 경영 권리를 가진 영국 귀족으로부터 받을 돈이 있었다. 그 귀족은 펜에게 돈을 갚는 대신 신대륙에 있는 땅을 주었다.

이 땅은 펜실베이니아('펜의 숲 속 나라'라는 뜻)라고 불리었다. 윌리엄 펜은 이 펜실베이니아를 퀘이커 교도들에게 개방하였다. 펜실베이니아에 온 사람들은 정치적 자유는 물론 종교적 자유를 마음껏 누릴 수 있었다.

그러자 영국과 함께 유럽 여러 나라의 사람들도 종교의 자유를 찾아 신대륙으로 건너왔다. 얼마 후 윌리엄 펜 본인도 신대륙으로 건너와 펜실베이니아 지방에 중심 도시를 세웠다. 그 도시의 이름은 필라델피아였다. '우애의 도시'라는 뜻을 가진 이 도시의 인구는 급속도로 늘어나 17세기 말에는 인구가 1만 명이 넘는

'우애의 도시'라는 뜻을 가진 필라델피아 중심가의 모습

도시가 되었고, 훗날 미국의 독립 운동 역사에서 가장 중요한 역할을 하는 도시로 발전하였다.

버지니아, 플리머스, 펜실베이니아 등 시간이 갈수록 영국인이 세운 식민지들은 하나 둘 늘어나, 18세기 초가 되자 영국의 식민지는 모두 13개가 되었다. 메릴랜드, 매사추세츠, 코네티컷, 뉴저지, 로드아일랜드, 뉴햄프셔 그리고 오늘날 세계 최대의 도시인 뉴욕 등이다.

13개의 식민시는 서마다 독립뵌 식민지 국가였다. 식민지 중

에는 영국 왕의 직접적인 지배를 받는 직할 식민지가 있었고, 주민들이 총독을 뽑아 독립적으로 꾸려 가는 식민지도 있었다.

또한 다른 나라가 먼저 개척한 땅을 빼앗아 영국 식민지로 만든 땅도 있었다. 바로 뉴욕이 그런 곳이다.

뉴욕은 처음에 네덜란드의 식민지였지만 후에 영국이 다시 빼앗아 자신들의 식민지로 만들었다. 사진은 뉴욕의 시청.

영국 이외에 다른 유럽 국가들도 신대륙에 진출했는데 그 중에는 해양 강국인 네덜란드도 있었다. 오늘날의 뉴욕 땅을 처음 차지한 네덜란드 사람들은 자신들이 개척한 그 곳을 '뉴암스테르담'이라고 불렀다. 그런데 세력이 더 강했던 영국이 1664년에 전쟁을 일으켜 그 곳을 빼앗은 뒤에는 이름이 뉴욕으로 바뀌었다.

각각의 식민지들에게 내려진 가장 큰 숙제는 하루빨리 경제적으로 발전하는 것이었다. 그러려면 가장 필요한 것이 사람이었다. 결국 각 식민지들은 유럽의 사람들을 불러 모으기 위해 저마다 종교적인 자유, 정치적인 자유, 심지어 누구나 노력하면 부자가 될 수 있다는 점을 선전하였다. 그러자 17세기 후반부터 더욱 많은 사람들이 유럽을 떠나 신대륙의 식민지로 건너갔다. 이 무렵 신대륙에 살던 식민지의 총 주민 수는 약 20만 명 정도가 되었다. 이로써 미국의 동부 해안 지방은 영국의 독차지가 되었다.

식민지 중에는 인기가 좋은 곳이 있었던 반면 인기가 없는 곳도 있었다. 매사추세츠 식민지는 다른 곳보다 정치적인 자유가 크게 보장이 되었기 때문에 인기가 좋았다. 또한 뉴욕 식민지는 상업 활동이 그 어느 식민지보다 활발하였다. 이것은 부자가 될 기회가 많다는 것을 의미했다.

반대로 스페인이 지배하고 있던 미국 남부 지방(오늘날의 플로리다 지방)과 가까이 있던

뉴욕

미국의 지명 중에는 왕이나 귀족의 이름에서 생긴 것도 있다. 뉴욕이 바로 그러한데 뉴욕(New York)이란 이름은 네덜란드를 내쫓은 영국군이 영국의 황태자였던 요크(York) 대공의 이름에서 딴 것이다.

식민지는 스페인과 전쟁이 일어날 가능성이 높았기 때문에 인기가 별로 없었다. 조지아 식민지가 그런 곳이었다.

식민지에 따라 그 지역의 중심 종교가 다르기도 했다. 같은 기독교라 하더라도 청교도들은 주로 매사추세츠 지방에, 퀘이커 교도들은 펜실베이니아 지방에 모여 살았다.

신대륙은 유럽의 땅과 비교하면 살아가는 데 장점이 많은 곳이었다. 먼저 유럽에서는 맛보지 못한 정치적인 자유가 있었다. 일부 식민지에서 백인 남자들은 자신이 직접 참여하는 투표를 통해 식민지를 다스리는 관리를 뽑을 수 있었다. 또한 중요한 결정은 식민지 백인 남자들이 회의를 열어 최종 결정을 했는데 이것은 유럽에서는 결코 경험하지 못했던 큰 자유였다.

신대륙의 또 다른 장점은 서부 지방에는 아직도 주인이 없는 땅이 많다는 점이었다. 개척 정신을 가진 사람들은 식민지들이 몰려 있던 동부 해안 지방을 벗어나 애팔래치아 산맥 너머에 있는 서부 지방을 개척하기도 했다.

아무도 살지 않던 곳이나 인디언을 몰아 내고 자기 땅을 개척한 사람들은 그 땅을 외부의 침입으로부터 지킬 필요가 있었다. 그래서 군인이 아닌 일반인들도 총을 가질 수 있는 권리를 인정하게 되었다. 이 틈을 타서 총을 만드는 사람이 큰 부자가 되기도 하였다.

지금도 미국은 개인이 총을 소유할 수 있는 나라다. 뉴스나 신문을 보면 슈퍼마켓에 총을 가진 강도가 침입해 돈을 훔쳐 가는 일이 매우 흔하다. 이처럼 누구나 총을 가질 수 있는 자유는 신대륙을 개척할 때 만들어진 것이다. 그러나 전통이 다 좋은 것은 아니다. 미국은 지금도 수많은 총기 사고가 일어나 국민들이 불안에 떨고 있기 때문이다.

총으로 무장한 개척자들이 점점 서부로 밀려들면서 영국인들과 인디언들의 사이는 점점 나빠졌다. 그러나 처음부터 그들의

사이가 나빴던 것은 아니다. 식민지가 처음 만들어질 때 일부 인디언들은 영국 사람들을 손님으로 맞았고, 그들이 집을 짓고 먹을거리를 장만하는 것을 도와 주기도 했다.

그러나 이주민이 늘어나면서 인디언과 영국인의 사이는 점점 멀어졌고 급기야 무력 충돌까지 일어나게 되었다. 자기들이 살던 땅을 지키려는 인디언들의 저항은 정당한 것이었다. 그러나 총으로 무장한 영국인의 상대가 될 수 없어 인디언들은 번번이 크고 작은 전투에서 패하고 말았다. 시간이 갈수록 인디언은 신대륙의 주인에서 소수 민족으로 밀려나게 되었다.

노예로 끌려간 흑인들

흑인이 신대륙에 온 시기 : 17세기 초

　13개의 식민지 중 미국 남부 지방에는 많은 농장이 들어섰다. 처음 농장을 만들 때는 영국에서 건너온 백인들이 그럭저럭 농장 일을 해낼 수 있었다. 또한 영국에서 끌고 온 빚쟁이들, 범죄자들을 노예로 부리기도 하였다. 그런데 농장이 더욱 커지고 그 수가 많아지면서 백인 노예만으로는 일손이 턱없이 부족하게 되었다.

　"농사지을 땅은 이리도 많은데 일꾼이 부족하다니⋯⋯. 이를 어쩌지?"

　농장 주인들은 고민에 빠졌다. 당시 백인들이 많이 짓던 농사는 담배 농사였다. 그런데 담배 농사에는 사람 손이 많이 갔고, 그 때는 지금처럼 농사 기구도 발달하지 않은 시대였다.

백인들의 고민을 해결해 준 것은 바로 아프리카의 나라였다. 그 곳에는 군사력이 약한 수많은 아프리카 흑인 민족들이 살고 있었다. 아프리카에서 활동하던 노예 상인들은 돈이 되는 일이라면 얼마든지 흑인들을 노예로 끌고 오겠다고 장담했다. 시간이 갈수록 많은 흑인들이 노예 신분으로 신대륙에 건너왔다.

처음에 신대륙의 백인들은 삼각 무역이라는 독특한 상업 활동을 통해 노예를 데려왔다. 무역은 보통 수입하는 나라와 수출하는 나라로 나누어지는데, 삼각 무역은 수출과 수입이 세 나라 사이에 이루어지는 무역 활동이다.

버지니아 리치먼드의 노예 시장

예를 들어 신대륙의 백인 노예 상인들은 신대륙에서 생산한 곡물을 서인도 제도의 섬에 가져가 술을 만드는 재료인 당밀과 교환하였다. 당밀로 술을 만든 상인들은 다시 아프리카로 건너가서 노예 상인들에게 술을 팔았다. 그 대가로 노예 상인들이 잡아 둔 흑인을 노예로 데려와 다시 농장 주인에게 팔아 넘겼다.

처음 흑인이 신대륙에 온 것은 17
세기 초다. 네덜란드 사람들이 20명
의 흑인을 배에 싣고 도착한 것이 그
시초였다. 그 뒤 흑인 노예의 수가 크
게 늘어난 것은 17세기 말이었다. 이
때부터 19세기까지 약 1,400만 명의
흑인들이 노예 신분으로 신대륙에 끌
려왔다.

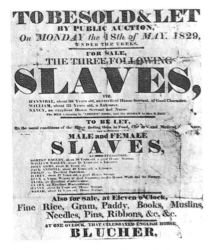

노예 경매를 광고하는 포스터

　신대륙의 식민지들은 노예 제도를
합법화하기 위해 각 식민지별로 노예 제도에 관한 법을 만들었
다. 백인들이 만든 법에 따라 노예 신분으로 끌려온 흑인이 결
혼을 해서 자식을 낳을 경우, 그 자식들도 노예 신분을 대물림
하게 되었다.

　당시 대부분의 백인들은 흑인들을 야만적인 인종이라고 생각
했기 때문에 흑인을 노예로 부리는 것에 대해 아무런 죄책감을
느끼지 않았다. 또 왕과 귀족이 사회를 지배하던 유럽에도 노예
제도가 있었기 때문에 이에 대한 거부감이 전혀 없었다.

　어떤 사람은 '노예가 없으면 신대륙의 경제는 망하고 말 것이
고 그렇게 되면 신대륙의 희망도 사라진다.'고 주장하며 노예

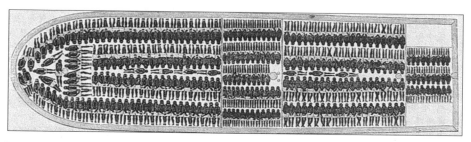

아프리카에서 신대륙으로 흑인 노예를 실어 나르던 노예 무역선의 갑판도.
무역선 안에서 흑인들은 질병과 굶주림으로 죽어 갔다.

제도를 정당화했다. 기독교 신자들 중에도 노예 제도는 하나님의 말씀에 어긋나는 것이라고 생각하는 사람은 몇몇에 불과했다.

신대륙의 북부 지방으로 끌려온 흑인들은 남부 지방으로 끌려간 흑인들에 비하면 운이 좋았다. 북부 지방은 농업보다 공업과 상업이 더 발달했기 때문에 흑인들은 집안일을 도와 주는 사람, 즉 하인이 되는 경우가 많았다. 하인은 농장에서 하루 종일 일하는 것에 비하면 그래도 고생이 덜했다.

이 무렵 노예는 사람이 아니라 물건처럼 다루어졌다. 노예들의 몸에는 그 노예의 주인을 표시하는 낙인이 찍혔다. 신대륙이 유럽 사람들에게는 평등과 자유의 땅이었는지 몰라도 흑인들에게는 차별과 고통의 땅이었던 것이다.

영국과 프랑스의 전쟁

프랜치-인디언 전쟁 : 1754년

18세기 미국 동부 지방은 영국인들의 차지였다. 그러나 영국이 넓은 신대륙을 모두 지배하는 것은 불가능했다. 미국 남부 지방에는 이미 스페인이 플로리다 지역을 차지하고 있었다.

영국과 스페인에 이어 신대륙에 진출한 또 다른 강대국이 있었다. 바로 프랑스였다. 프랑스는 이미 영국 사람들이 식민지로 만든 뉴잉글랜드 지방의 북부 지역에 프랑스 식민지를 건설하였다.

그런데 오대 호 남쪽 오하이오 계곡을 누가 차지하느냐를 두고 프랑스와 영국 간에 신경전이 벌어졌다. 그 때 영국의 한 식민 회사가 정부로부터 오하이오 계곡 식민 특허장을 받고 그 곳에 이주할 희망자들을 모집했다. 그러자 프랑스는 영국이 명백

하게 자기들의 땅을 침략했다고 주장하며 군대를 보내 그 곳에 온 영국 식민지 사람들을 쫓아 냈다.

프랑스 군대에게 밀려 쫓겨났다는 소식을 들은 영국계 식민지 사람들은 분노하였다. 식민지에 거주하던 영국 총통은 급히 사람들을 모아 프랑스군의 요새를 공격하였다. 각각의 영국 식민지들은 프랑스를 이겨야 한다는 목적 아래 하나로 뭉쳤다.

이 때 20대의 청년으로서 영국군을 도와 크게 활약한 사람이 훗날 미국의 제1대 대통령이 되는 조지 워싱턴이다.

영국군이 식민지 사람들과 연합군을 조직해서 쳐들어오자 프랑스는 영국인들에게 땅을 빼앗겨 원한을 품고 있는 인디언들과 손을 잡았다. 그래서 이 전쟁을 '프렌치─인디언 전쟁'이라고 부른다. 또한 신대륙에서 영국에 맞섰던 스페인도 전쟁에 직접 참여하지는 않았지만 프랑스의 편에 섰다.

1754년에 시작된 프랑스와 영국의 전쟁은 크고 작은 전투가 벌어지면서 10년 가까이 이어졌다. 식민지에서 일어난 전쟁 때문에 영국과 프랑스는 유럽 대륙에서 다시 전쟁을 벌였다.

처음에 주도권을 잡은 것은 프랑스였다. 전쟁 초반의 수많은 전투에서 프랑스는 영국군을 격퇴하였다. 당시 신대륙에 온 영국군은 식민지에 있던 영국군과 식민지 사람들이 모여 만든 군

대로 최정예 군대가 아니었다.

　그러나 전세가 바뀐 것은 1758년부터였다. 영국은 뒤늦게 신대륙이 앞으로 영국의 국력에 아주 중요하다는 사실을 깨닫고 가장 훌륭한 병사들로 구성된 부대를 신대륙에 보냈다.

　승패를 가르는 최후의 전투는 현재 캐나다 땅인 퀘벡이란 곳에서 벌어졌다. 절벽으로 둘러싸인 퀘벡 요새를 차지하고 있던 프랑스군은 영국군의 기습 공격을 받았다. 기습 공격에 놀라 요새를 빠져 나온 프랑스 군대는 퀘벡의 평원 지대에서 미리 기다리고 있던 영국 군대에게 크게 패하고 말았다. 결국 프랑스는

퀘벡

오늘날 캐나다에는 영어를
사용하는 사람도 있고
프랑스어를 사용하는 사람도
있다. 그런데 퀘벡 지역
사람들은 주로 프랑스어를
사용한다. 과거에 오랫동안
프랑스의 지배를 받았기
때문이다.

그들이 개척한 많은 지역을 영국에 내주고 말
았다.

전쟁이 끝난 뒤 영국은 식민 도시의 지도자
들에게 큰소리를 쳤다.

"우리 본국에서 군대를 보내지 않았으면 너
희는 프랑스를 이기지 못했을 것이다. 그러
니 앞으로도 본국의 말을 잘 듣도록 하라!"

영국 본국에서 건너온 군대 덕분에 미국 식
민지들이 전쟁에서 프랑스를 이긴 것은 사실이
었다. 그러나 본국의 영국인들이 전쟁이 끝난
뒤 식민지의 정치와 경제에 많은 간섭을 하면
서 영국 본토와 신대륙에 살던 사람들 사이에
는 틈이 벌어졌다.

"언제까지 영국에 기대서 살 것인가! 언제까
지 영국의 참견을 받으면서 살 것인가!"

시간이 흐르면서 영국의 식민지가 아니라 완
전한 독립 국가 국민이 되고 싶어하는 사람의
수는 점점 늘어났다. 이제 역사의 수레바퀴는
식민지의 독립을 향해 구르기 시작했다.

2
독립 선언과 미국의 탄생

보스턴 차 사건과
신대륙의 운명

영국이 신대륙을 개척할 무렵 세계의 경제는 오늘날처럼 그리 복잡하지 않았다. 오늘날은 화폐가 매우 발달해서 영향력이 가장 큰 달러 화폐를 많이 소유하면 경제적으로 안정될 수 있다.

영국의 해외 식민지 개척 시대에는 화폐 대신 금이 그 역할을 했다. 금만 있으면 어떤 물건이든지 살 수 있었기 때문이다. 결국 당시에는 금이 많은 나라가 경제적으로도 잘 사는 나라였다.

남아메리카 대륙을 개척한 스페인의 경우, 그 곳에 매장된 많은 금을 발굴해서 경제적으로 큰 도움을 받았다. 그러나 영국이 개척한 신대륙에는 금이 그렇게 많지 않았다.

대신 영국은 신대륙에서 생산한 담배, 사탕수수 같은 것을 싼값에 수입할 수 있었다. 영국은 이익이 많이 남는 신대륙 무역을 독점하기 위해 신대륙의 식민지들은 오로지 영국하고만 거래를 하게 했다. 또 무역에 사용하는 배도 무조건 영국 배만 사용하도록 했다.

그러자 신대륙의 식민 도시들은 시간이 갈수록 영국에 대한 불만이 쌓여 갔다. 영국은 무역 거래를 통해 큰 이익을 얻는 반면에, 신대륙은 자기 땅에서 생산된 농작물들을 싼값에 수출해야 하니 남는 것이 별로 없었던 것이다.

차츰 신대륙의 식민지들 중에는 영국의 간섭에서 벗어나 몰래 다른 나라와 무역을 하는 상인들이 늘어났다. 그런데 영국은 프랑스와의 전쟁 때문에 많은 돈을 썼다면서 신대륙 식민지들에게 많은 세금을 물렸다. 갈수록 장사하기가 어려워진 신대륙의 부유한 상인들을 중심으로 불만의 목소리가 터져 나왔다.

"영국은 우리의 모국이다. 그러나 우리 식민지와 한 마디 상의도 하지 않고 일방적으로 세금을 올리는 건 우리보고 굶어 죽으라는 소리와 다름이 없다. 고분고분 말을 들을 게 아니라 우리도 뭔가 의사 표시를 해야 한다."

부유한 상인들의 주장은 신대륙의 가난한 사람들로부터도 크게 호응을 얻었다. 1767년 무렵부터 신대륙의 주민들은 영국 제품에 대해 불매 운동을 벌였다. 영국 제품을 사지 않아 영국 경제에 위협을 줌으로써 자신들의 뜻을 이루려고 한 것이다.

당시 신대륙에는 영국에서 건너간 많은 관리들이 있었는데 이들에게 테러를 하는 사람도 생겨났다. 심상치 않은 분위기를 느낀 영국은 본국에서 4,000명의 군인들을 매사추세츠 식민지에 있는 항구 도시 보스턴에 보내 식민지를 더욱 엄하게 다스렸다.

결국 1770년, 영국과 신대륙 식민지 사이에 무력 충돌이 일어났다. 보스턴에 주둔한 영국 군인들과 신대륙 주민들 사이에 싸움이 일어나 몇 사람이 죽는 사건이 벌어진 것이다. 이에 보스턴 시민들이 격렬하게 항의를 하자 영국은 부랴부랴 보스턴에 있던 군인들을 본국으로 철수시켰다.

그럭저럭 평화가 유지된 것은 3년뿐이었다. 1773년에 다시 충돌이 일어났다. 미국 독립 전쟁의 원인이 된 '보스턴 차 사건'이 벌어진 것이다.

영국인의 후예인 신대륙 사람들은 영국 사람들처럼 차 마시는 것을 즐겼다. 따라서 신대륙에도 대량의 차가 수입이 되었고 차 무역

보스턴 차 사건으로 영국군에게 학살당하는 식민지인들

을 통해서 돈을 번 사람도 많았다.

그런데 1773년, 영국 정부가 인도와 아시아 무역을 위해 세운 동인도 회사가 파산 위기를 맞았다. 영국의 정치가들은 동인도 회사의 파산을 막기 위해 차의 수출과 수입에 관한 모든 권리를 동인도 회사가 독점하도록 했다. 그리고 창고에 쌓여 있던 차를 아주 싼값에 식민지에 팔기 시작하였다. 이럴

영국이 인도와 아시아 무역을 위해 세운 동인도 회사

경우 신대륙에서 차 무역을 통해 먹고살던 상인들이 망하는 것은 시간 문제였다.

분노한 차 상인들은 보스턴 항구에 들어온 세 척의 동인도 회사 배에 올라가서 300개가 넘는 차 상자를 바다에 던져 버렸다. 이를 지켜 보던 신대륙 주민들 중 말리는 사람은 없었다.

이에 영국은 노발대발했다. 영국은 즉각 매사추세츠 식민시

차 상인들이 보스턴 항에 정박 중인 동인도 회사 상선에
올라가 차 상자를 바다에 버리고 있다.

정부에 엄포를 놓았다.

"차 상자를 바다에 버린 사건에 가담한 모든 자들을 붙잡아 영국으로 보내라! 그리고 버려진 차에 대한 값을 배상하라!"

영국 정부는 보스턴 항구에 다시 군대를 보내 '참을 수 없는 법'을 제정하여 그 곳을 총과 칼로 다스리게 했다. 그러자 1774년, 이에 분노한 식민지의 대표자들이 한 자리에 모였다. 이 회의를 '제1차 대륙 회의'라고 한다.

영국에 저항할 것인가, 순종할 것인가 최후의 결정을 내리기 위해서였다. 이제 신대륙의 식민지들은 운명의 갈림길 앞에 서 있었다.

대륙 회의와
미국의 독립 선언

미국의 독립 선언 : 1776년

한 자리에 모인 식민지 대표들은 영국의 최고 지도자인 왕에게 편지를 보냈다. 그들이 당장 전쟁을 벌이지 않고 편지를 보낸 이유는 당시만 해도 영국으로부터 독립을 하자는 사람 못지않게 영국은 조상의 나라이므로 전쟁을 벌이면 안 된다는 사람도 많았기 때문이다.

식민지 대표들은 보스턴 차 사건의 범인을 잡아들이고 버려진 차의 값을 배상하라는 왕의 명령을 거둬 달라고 부탁했다.

"식민지 주제에 감히 왕의 명령을 거역하다니!"

당시 영국 왕이었던 조지 3세는 식민지 대표들의 제의를 단갈에 거절했다. 영국 왕의 거절 소식이 알려진 뒤 영국과 신대류 식민지의 갈등은 무력 충돌로 이어졌다. 1775년에 영국 군대와 식민지 사람들이 충돌해서 8명의 식민지 시민들이 죽는 사건이 벌어진 것이다. 두 세력 간의 전투 규모는 점점 커져 영국군도 얼마 안 가 200명이 넘는 병사들이 목숨을 잃었다. 식민지 대표들은 필라델피아에서 제2차 대륙 회의를 열었다.

"우리도 더 이상 참을 수 없다. 정당한 대우를 요구하는 우리 주장이 받아들여지지 않는다면, 식민지 연합군을 만들어 영국과 전쟁을 벌일 것이다!"

전쟁 찬성파는 반대파의 의견을 누르고 전쟁을 선포하였다. 그리고 식민지 연합군의 총사령관으로 조지 워싱턴을 임명했다.

전쟁을 선포할 때만 해도 신대륙 사람 중에는 영국으로부터의 완전한 독립을 위해 전쟁을 벌인 사람은 거의 없었다. 다만 정당한 대우를 받겠다는 것이 전쟁의 가장 큰 목적이었다.

그런데 1776년, 토머스 페인이라는 사람이 〈상식〉이라는 책을 펴

식민지 연합군이 총사령관 조지 워싱턴. 그는 훗날 미국의 초대 대통령이 된다.

낸 뒤 식민지 사람들의 생각은 달라졌다. 이 책에서 페인은 설득력 있게 신대륙 식민지들이 영국으로부터 완전히 독립해야 한다는 주장을 폈다. 이 책은 나온 지 3개월 만에 15만 부가 팔려 나갔다.

"맞아, 우리에게 진정으로 필요한 것은 정당한 대우를 받는 것이 아니라 영국으로부터 완전하게 독립하는 거야!"

사람들은 하나 둘 생각을 바꿔 나갔다. 그 생각은 거대한 물결이 되어 식민 도시 전체로 퍼져 나갔다. 미국의 역사에서 이 책처럼 커다란 사건에 결정적인 영향을 미친 책은 없었다.

독립 선언서 초고를 읽고 있는
프랭클린, 애덤스, 제퍼슨(왼쪽부터)

1776년 1월, 대륙 회의의 목적은 독립으로 방향을 돌렸다. 토머스 제퍼슨이 독립 선언서를 작성하였고, 식민지 의회에 제출이 된 이 독립 선언서는 7월 4일 만장 일치로 채택이 되었다.

식민지들이 영국으로부터 독립할

것임을 공식적으로 선언한 것이다. 이 독립 기념일은 지금도 미국 사람들이 경축하고 있는 최대 국경일이다.

독립 선언서에는 다음과 같은 새로운 사상이 담겨 있었다.

- 모든 사람은 평등하게 태어났다.
- 모든 사람에게는 생명과 자유와 행복을 추구할 권리가 있다.
- 이 권리를 누리기 위해 국민들이 만든 것이 국가다.
- 정부가 가진 권력은 국민으로부터 나오는 것이다.

미국의 독립 선언서에 담긴 사상은 프랑스 혁명에도 큰 영향을 끼쳤다. 그림은 프랑스 시민들이 바스티유 감옥을 습격하는 모습.

신대륙 식민지의 독립 선언서는 인류 역사에서 최초로 자유 민주주의 핵심 사상을 주장한 문서였다. 독립 선언서에 담긴 새로운 사상은 유럽으로 전해져

유럽 역사에도 큰 영향을 끼쳤다.

프랑스에서 시민들이 왕을 내쫓고 새로운 형태의 정부를 세운 사건인 프랑스 혁명도 미국의 독립 선언으로부터 큰 영향을 받았다. 훗날 영국과 신대륙 식민지들 사이에 전쟁이 벌어졌을 때 신대륙의 민주주의를 수호하기 위해 유럽에서 신대륙으로 건너와 연합군에 가담해 영국군과 싸운 사람들도 있었다.

성조기

미국 국기의 이름은
성조기다. 성조기에는
50개의 주를 상징하는
50개의 별이 있다. 그러나
독립 운동 당시 이 별의
개수는 13개였다. 미국의
주가 늘어날 때마다 그만큼
별의 수도 늘어난 것이다.
미국은 세계에서 국기 모양이
가장 많이 바뀐 나라이기도
하다.

독립을 이룩한 미국

파리 평화 협정 : 1783년

미국의 독립 전쟁을 이야기할 때 빼놓을 수 없는 사람이 있다. 바로 조지 워싱턴이다. 조지 워싱턴은 1732년 버지니아에서 태어났다. 워싱턴이 군사 지도자로 참여한 최초의 전쟁은 프렌치—인디언 전쟁이었다. 이 전쟁에서 영국군에 속해 있었던 워싱턴은 눈부신 활약을 했다.

한때 영국군의 편이 되어 큰 공을 세운 워싱턴이었지만, 그 또한 시간이 지나면서 식민지의 독립을 주장하는 독립주의자로 변하였다. 이제 워싱턴은 연합군의 총사령관으로서 영국군과 싸워 신대륙의 독립을 이루어 내야 하는 운명에 놓여 있었다.

조지 워싱턴이 총사령관을 맡은 식민지 연합군은 보잘것 없는 군대였다. 전쟁 경험도 거의 없었고 무기도 신통치 않았다. 이에 비해 영국군은 전투 경험이 많은 군인들로 이루어져 있었다. 누가 봐도 영국이 유리해 보이는 상황에서 독립 전쟁이 일어난 것이다.

식민지 연합군과 영국 군대는 맨 처음 뉴욕 지역에서 전투를 벌였다. 당시 식민지 연합의 수도는 독립 선언이 이루어진 필라델피아였다. 그런데 연합군이 항구 도시인 뉴욕을 빼앗기면 필라델피아도 쉽게 정복당할 가능성이 컸다. 결국 영국 군대는 뉴욕에서 워싱턴이 지휘하던 연합군을 무찌르고 몰아 내는 데 성공하였다.

뉴욕 전투에서 승리한 영국군이 멈추지 않고 식민지 연합군을 추격해 항복을 받아 냈다면 독립 전쟁은 영국의 승리로 일찍 막을 내렸을 것이다. 하지만 영국이 식민지 연합군을 무시했던 것일까? 영국군은 크리스마스를 느긋하게 보낸 뒤 연합군을 추격하고 필라델피아를 점령하기로 했다.

이러한 판단은 영국으로서는 결정적인 실수

건국의 아버지
오늘날 미국인들은 독립 선언서를 만들고 독립 전쟁 때 식민지 연합군을 지휘한 지도자들을 '건국의 아버지'로 받들고 있다. 조지 워싱턴, 존 애덤스, 벤저민 프랭클린 같은 사람들이다. 프랭클린은 피뢰침을 발명한 사람이기도 하다.
(사진은 벤저민 프랭클린)

1776년 크리스마스날 밤, 영국군을 기습 공격하기 위해 델라웨어 강을 건너고 있는 워싱턴 장군

였다. 영국군이 휴식을 취하고 있다는 소식을 들은 총사령관 워싱턴은 타고 가던 말머리를 돌렸다.

"영국군은 지금 크리스마스라며 방심하고 있다고 한다. 우리가 승리하는 방법은 하나뿐이다. 영국군을 향해 기습 공격을 하는 것이다."

이러한 조지 워싱턴의 작전은 성공했다. 기습 공격을 함으로써 최초로 영국군을 상대로 승리를 거둔 것이다. 기습 공격의 성공으로 꺼져 가던 식민지 연합군의 사기는 크게 올라갔다. 이어 몇 차례 전투에서 식민지 연합군은 다시 승리를 거두었다.

영국 군인들의 능력과 무기 성능은 식민지 연합군보다 우수했다. 그러나 문제는 전쟁 물자와 병사들이 5,000km나 떨어진 영국으로부터 와야 한다는 점이었다. 몇 차례 전투에서 진 영국군은 반격을 하려 했지만 병력을 보충하기 위해선 시간이 필요했다. 이 틈을 타 식민지 연합군도 전력을 보강했다. 영국군의 일방적인 승리로 끝날 것만 같았던 이 전쟁은 결국 7년간에 걸친 장기전으로 이어졌다.

1778년, 전쟁에 새로운 변화가 생겼다. 영국과의 전쟁에서 패한 뒤 캐나다의 일부 지역을 빼앗긴 프랑스가 식민지 연합군 편을 들며 전쟁에 참여한 것이다. 이어 스페인도 식민지 연합군의 편에 섰다. 이렇게 유럽 국가들이 미국의 편을 들면서 전세는 조금씩 바뀌기 시작했다.

그러나 여전히 군사적으로 우세한 것은 영국이었다. 영국군은 뉴욕은 물론 버지니아 등 신대륙의 남부 지방에서 벌어진 전투에서 큰 승리를 거두면서 다시 승리의 기회를 잡았다. 그들은 체사피크 만에 위치한 요크타운이란 곳에 강력한 영국군 요새를 건설하였다. 식민지 연합군 입장에서는 요크타운의 요새를 빼앗

식민지 연합군이 영국군에게 승리하여 항복을 받고 있다.

지 않으면 독립 전쟁이 언제 끝날지 모르는 상황이었다. 식민지 연합군은 요크타운 공략에 모든 병사들을 동원하기로 했다.

　우선 독립군은 뉴욕에 머물고 있는 영국 군대를 공격하는 척하면서 비밀리에 요크타운 쪽으로 군대를 이동시켰다. 이와 동시에 서인도 제도에 있던 프랑스 함대가 배를 북쪽으로 몰아 요크타운을 향해 군대를 이동시켰다. 북쪽과 남쪽에서 연합 군대가 동시에 영국군을 향해 협공 작전을 편 것이다.

　요크타운에 있던 영국군의 수는 프랑스와 식민지 연합군 수에 비하면 반 정도에 불과했다. 1781년, 요크타운 전투는 결국 연합군의 승리로 끝이 났다.

　본국에 있던 영국인들도 요크타운의 패배 소식을 듣게 되었다. 당시 영국 왕이었던 조지 3세는 전쟁을 끝내고 싶지

1781년 10월 19일, 요크타운 전투에서 패배한 영국군 사령관의 모습. 이것으로 독립 전쟁은 사실상 막을 내렸다.

않았다. 과거 같으면 군대를 더 보내서 식민지 사람들을 혼내 주자고 주장하는 사람이 많았을 것이다. 그러나 7년간의 오랜 전쟁 때문일까? 영국 사람들의 생각도 달라졌다. 어서 이 지긋지긋한 전쟁을 끝내자는 여론이 더 높았던 것이다. 국민들은 왕에게 하루빨리 전쟁을 끝낼 것을 요구했다.

필라델피아에 있는 독립 기념관의 모습

　전쟁을 끝내고 평화 협정을 맺는 회의를 '강화 회의'라고 한다. 결국 영국은 프랑스의 수도 파리에서 신대륙 식민지 연합군과 강화 조약을 맺었다. 1783년 영국, 식민지 연합군, 프랑스 세 나라 사이에 평화 협정이 맺어졌다. 평화 협정을 맺은 뒤 신대륙의 13개 식민지는 이제 더 이상 영국의 땅이 아닌 식민지를 개척한 사람들의 독립 국가가 되었다. 미국의 완전한 독립이 이루어진 것이다.

백인을 위한 나라
미국의 탄생

세이즈의 반란 : 1786년

미국의 영어 이름은 'USA'다. 'USA'는 'United States of America(아메리카 합중국)'의 줄임말이다. 'United States'는 '국가 연합'이라는 뜻이고 'America'는 1492년 콜럼버스가 처음 발견한 신대륙을 가리키는 말이다. 따라서 USA란 나라 이름은 신대륙 아메리카의 국가 연합이란 뜻이다.

USA라는 이름은 식민지 연합이 영국으로부터의 독립을 주장하면서 발표한 독립 선언서에 처음 나온다. 당시 독립 국가가 아니었던 식민지의 지도자들에게는 식민지 대륙이 통일된 나라라는 생각이 없었다. 각 지역들이 합쳐서 영국에 대항하여 일단 독립부터 하고 보자는 생각이었다.

각 주의 대표들이 모여 논의하였던 대륙 회의는 연방 의회로 이름을 바꾸고 미국이 독립한 뒤 중앙 정부로서의 역할을 하고 있었다. 그러나 형식적인 기구에 불과했던 연방 의회는 돈이 부족할 때마다 주 정부에 손을 벌릴 수밖에 없었다.

하지만 주 정부도 독립 전쟁 때 전쟁 비용을 마련하느라 빚이 눈덩이처럼 불어난 상태였다. 그리하여 각 주는 시민들로부터 높은 세금을 거둬들였고, 1786년 매사추세츠 주에서 불만을 품은 시민들을 중심으로 반란이 일어났다. 이를 '셰이즈의 반란'이라고 한다.

이러한 사태가 벌어지자 허수아비에 불과했던 기존의 연방 의회를 없애고 좀더 강력한 중앙 정부를 만들어야 한다는 주장이 터져 나왔다.

이런 여론이 높아진 1787년, 13개 나라의 지도자들이 다시 한 자리에 모였다. 독립 전쟁 당시에 만든 연방 제도에 관한 법을 바꾸기 위해서였다. 그러나 단순히 연방 간의 약속, 즉 연방 규약을 바꾸는 것만으로는 부족했다. 따

수정 헌법

헌법을 바꾸는 것을 '개헌'이라고 한다. 미국의 헌법도 나라를 세운 뒤부터 조금씩 바뀌었다. 헌법이 바뀔 때마다 미국은 이것을 '수정 헌법 ○○조'라고 불렀다.

라서 아예 미국 대륙 전체에 적용될 수 있는 헌법을 만들기로 결정했다. 이 헌법은 모든 주 정부가 따라야 하는 최고의 법이었다.

헌법 회의라고 불리는 이 모임에서 오늘날 미국의 주요 정치 제도가 만들어졌다. 그 특징은 이런 것들이다.

- 국회는 상원과 하원으로 이루어진다.
- 하원 의원은 각 주의 인구에 비례해서 그 주의 국민들이 직접 뽑는다.
- 상원은 각 주의 인구와 관계없이 같은 수의 의원을 하원에서 선출한다.
  (1913년에 헌법을 바꿔 요즘은 상원 의원도 국민들이 직접 뽑는다)
- 대통령의 경우, 국민이 투표를 하되 직접 뽑는 것이 아니라 대통령 선거인단을 뽑아서 이들이 나중에 투표한다.
  (선거인단 수는 각 주의 인구 수에 비례)

헌법 회의는 1년간의 의논과 협상을 거쳐 1788년 미국 헌법

을 확정하였다. 새 헌법에 의해서 이제 중앙 정부(연방 정부)는 과거보다 강력하게 13개 주를 이끌 수 있는 권한을 갖게 되었다. 헌법에 따른 절차를 거쳐 1789년, 조지 워싱턴이 미국의 초대 대통령이 되었다.

그런데 최초의 미국 헌법은 오늘날의 기준에서 보면 완전한 민주 헌법이 아니었다. 모든 국민은 평등하다고 주장하면서도 실제로는 투표권을 가진 사람을 엄격하게 제한하였기 때문이다.

최초의 미국 헌법은 여성과 흑인들에게는 투표권을 주지 않았다. 또 세금을 낼 정도의 재산을 가지고 있고, 21세 이상의 나이가 된 백인 남자여야 투표권을 가질 수 있었다.

미국을 세운 독립의 아버지들이 이러한 투표 제한 결정을 한데에는 그만한 이유가 있었다. 모든 사람에게 투표권을 줄 경우, 국민들이 집단적으로 정부에 저항하여 혁명을 일으킬 수도 있다고 생각했기 때문이다.

미국을 건국하는 데 앞장 선 사람은 북부든 남부든 귀족처럼 살던 사람들이었고, 그들은 국민들이 중앙 정부를 혼란에 몰아넣을 것을 두려워하였다. 그래서 투표권을 가진 사람의 권한을 엄격하게 제한한 것이다.

투표권을 이렇게 제한하다 보니 최초의 헌법에 따라 전체 국민 중에서 실제 투표를 할 권리를 가진 사람은 10%도 되지 않았다. 미국 헌법이 가진 이런 모순은 시간이 지나면서 하나 둘 보완되었다. 1870년에는 수정 헌법 15조를 만들어 흑인 남자들에게도 투표권을 주었고, 여성들의 경우에는 1920년이 되어서야 투표할 권리를 얻었다.

삼권 분립에 의한 견제와 균형

연방 정부의 성립 : 1788년

헌법이 만들어지기까지는 1년 동안 미국 정치 지도자들 사이에 많은 진통과 갈등이 있었다. 두 개의 큰 세력이 헌법의 내용을 놓고 부딪쳤던 것이다.

한편에는 강력한 중앙 정부를 만들자고 주장하는 사람들(연방주의자)이 있었고, 다른 한편에는 중앙 정부의 힘은 최소화하고 각 주가 더 많은 자치권을 가져야 한다고 주장하는 사람들(반연방주의자, 자유 공화파)이 있었다.

처음에는 연방주의자와 반연방주의자의 주장이 팽팽히 맞섰다. 그러나 결국 연방주의가 더 높은 지지를 얻어 강력한 힘을 가진 연방 정부를 만들어 낼 수 있었다.

이러한 두 세력 간의 대립에서 생겨난 미국 헌법의 큰 특징은 삼권 분립을 철저하게 해서 정치 세력 간의 견제와 균형을 이룰 수 있도록 한 점이었다.

삼권 분립이란, 행정부(정부), 입법부(국회), 사법부(법원)가 권력을 나눠 가져서 서로를 견제하게 하는 정치 제도다.

과거 유럽의 경우에는 한 나라의 왕이 이 세 가지 권리를 모두 가지고 있었다. 즉, 왕이 정부를 다스리고 신하를 임명했으며(행정권), 자기에게 이익이 되도록 새로운 법과 제도를 만들었다(입법권). 그리고 모든 재판에서도 최종적으로 판결을 내리는 사람 또한 왕이었다(사법권). 프랑스의 루이 14세 같은 왕은 '내가 곧 국가다' 라고 말하기도 했다.

'내가 곧 국가다' 라는 말을 남긴
프랑스의 태양왕 루이 14세

그러나 미국을 세운 사람들은 미국은 왕이 다스리는 나라가 아니기 때문에 이 세 가지 권리를 공평하게 나눠 독재적인 권력이 나오지 않도록 삼권 분립을 시행한 것이다.

따라서 국회에도 상원(Upper

House) 의원과 하원(Lower House) 의원 제도를 함께 두는 제도를 만들었다. 하원은 상원을 견제하고 상원은 하원을 견제해서 어느 한쪽으로 힘이 쏠리지 않게 하려는 목적이었다. 또한 상원과 하원이 버티고 있는 국회를 견제하는 사람은 바로 대통령이었다. 미국 헌법은 대통령에게 국회에서 통과한 법에 대해 거부권을 행사할 수 있는 권리를 주어 국회를 견제하도록 하였다.

또한 법원에는 국회에서 만든 새로운 법에 대해서 그것이 헌법에 맞는지를 판결하는 권리(위헌 심사권)를 주었다. 법원에

연방 수사국

미국 연방 정부의 지휘를
받는 경찰 조직이 미국 연방
수사국이다. 이 곳을 영어로
'FBI' 라고 한다. FBI의 수사
요원은 미국의 범죄 영화에도
자주 등장한다.

서도 국회를 견제할 수 있도록 한 것이다.

국회는 국회대로 대통령의 힘이 지나치게 커지는 것을 견제하는 장치가 있었다. 대통령이 헌법을 위반할 경우, 대통령을 탄핵할 수 있는 권리를 준 것이다. 또 대통령이 거부한 법을 또다시 국회가 통과시키면 그 때는 대통령도 그 법에 대해 거부권을 행사할 수 없도록 하였다.

미국 헌법은 연방 정부와 주 정부 사이의 견제와 균형도 반영하였다. 중앙 정부의 힘이 너무 강하면 그 나라는 독재 국가가 될 수도 있고, 반대로 연방 정부의 힘이 약하면 나라의 질서가 쉽게 무너지고 외교 문제에서도 결정이 늦어질 수 있다.

그래서 미국 정부는 연방 정부의 권한을 강화하되 정부의 힘이 지나치게 강화되어 주 정부의 독립성이 약해지는 것을 막는 제도를 만들었다. 연방 정부와 주 정부 사이에 견제와 균형을 취하게 한 것이다.

빚에 시달리는 워싱턴 정부

조지 워싱턴 대통령 취임 : 1789년

1789년 4월 30일, 조지 워싱턴이 미국 제1대 대통령으로 취임하였다. 초대 대통령의 취임식은 연방 정부 건물이 있던 뉴욕에서 열렸다.

워싱턴은 취임식 때 다음과 같은 연설을 하였다.

"나는 미국 대통령직을 성실하게 수행하고 헌법을 유지하고 지키는 일에 최선을 다하겠습니다."

그런데 이 무렵 연방 정부의 조직은 무척 엉성하였다. 대통령 밑에 있는 사람들이라고는 부통령과 잡무를 보는 열서너 명의 서기들이 전부였던 것이다. 그리하여 워싱턴은 급한 대로 외교를 책임지는 국무성, 나라 살림을 책임지는 재무성, 국방을 책

임지는 전쟁성, 법률을 다루는 법무성 같은 조직을 만들었고 각 부서의 장관도 임명하였다.

　세계 최대의 군사 강국이었던 영국을 물리치고 독립을 쟁취한 나라, 유럽의 어떤 나라보다 넓은 국토를 가진 나라 미국도 워싱턴이 취임할 무렵에는 보잘 것 없는 정부로 출발한 것이다.

　당시 미국은 가난한 나라이기도 했다. 7년간에 걸친 독립 전쟁 이후 미국은 경제적으로 큰 어려움을 겪고 있었다. 전쟁 때문에 식민지의 여러 시설들이 파괴되었고 최대 무역 상대였던 영국과의 거래가 크게 줄어들면서 미국에서 농산물을 생산해도 과거처럼 팔 곳이 마땅치가 않았다.

또한 연방 정부에서 일하는 공무원의 수도 무척 적었고 그들에게 줄 급료도 넉넉하지 않았다. 더구나 연방 정부는 빚이 많았다. 독립 전쟁 때 무기를 사느라 다른 나라에 진 빚도 다 갚지 못한 상태였다. 독립 전쟁에 참가한 군인들의 월급도 밀려 있었으며 연방 정부에 속한 군인의 수도 1,000명이 채 되지 않았다.

이처럼 돈이 부족했던 워싱턴의 초대 연방 정부는 네덜란드의 한 은행으로부터 돈을 빌렸다. 그러나 이것으로도 나라를 운영하기에는 턱없이 부족해서 국채(나라에서 나중에 갚을 것을 약속하고 돈을 빌릴 때 발행하는 채권 증서)를 발행하여 자금을 조달하였다. 또 관세에 관한 법을 바꿔 외국으로부터 수입하는 물건에 대해서는 5%의 세금을 물렸다.

그러나 이것으로도 부족했다. 따라서 가난한 미국 정부는 술에 대해 세금을 물렸다. 술을 만들거나 판매하는 사람들은 이에 거세게 항의하

플로리다

미국은 국토를 넓힐 때 돈을 주고 다른 나라 땅을 사서 자기 나라 땅으로 만든 경우가 많다. 미국 남부 지방에 있는 플로리다도 원래 스페인의 땅이었는데 500만 달러를 주고 산 것이다. (사진은 플로리다의 마이애미 비치)

였지만, 연방 정부는 이들의 항의를 강력하게 진압하고 세금 정책을 밀어붙였다.

1791년, 연방 정부는 연방 은행도 만들었다. 연방 은행을 만들면 연방 정부의 힘이 너무 커진다고 반대하는 사람도 많았지만 간신히 은행에 관한 법을 국회에서 통과시킬 수 있었다. 연방 은행을 세우는 기금은 은행의 주식을 일반 국민들에게 팔아서 마련하였다.

연방 정부뿐만 아니라 각 주들도 살림이 어려웠다. 결국 그들도 세금을 높이 올리기에 이르렀다. 그 결과, 백인들 중에는 세금으로 진 빚을 갚지 못해 땅을 빼앗기는 사람, 감옥에 잡혀 가는 사람도 생겨났다. 백인들의 살림살이가 이 정도니 흑인들의 생활은 더 비참할 수밖에 없었다. 그러자 여기에 항의하는 시민 반란이 일어나기도 했다.

그러나 전쟁 후에 미국이 얻은 것도 있었다. 바로 영국으로부터 받은 서부 지역의 땅이었다. 애팔래치아 산맥 서부의 땅은 13개 주의 땅을 모두 합친 것보다 더 드넓었다.

이 땅을 각 주들이 어떻게 나눌 것인가를 두고 갈등이 생기기도 했다. 영국으로부터 특허장을 가지고 식민지를 개척한 주들은 자기들에게 우선권이 있다고 주장했다. 특허장이 없는 주들은 그럴 경우 연방 국가들 사이에 큰 분열이 온다면서 연방 정부에서 이 문제를 의논하자고 주장했다. 결국 전쟁으로 얻은 서부 지역의 땅을 분배하는 것은 연방 정부의 손에 넘어갔다.

연방 정부는 이 땅을 경매 방식으로 사람들에게 팔았다. 그러나 가난한 농민들은 마음에 드는 땅이 있어도 그것을 살 돈이 없었기 때문에 대부분의 땅은 부자들의 손에 넘어갔다.

또 연방 정부는 사람이 많이 모여 사는 북서부 지역에 5개의 독립된 주를 만들었다. 그렇게 해서 오하이오 주, 위스콘신 주 등이 탄생하였다.

오하이오 주 최대의 상공업 도시인 클리블랜드의 전경

연방 정부는 각 주의 경제 문제를 해결하기 위해 과감한 결정을 내렸다. 각 주의 정부가 진 빚을 연방 정부가 대신 갚아 주기로 한 것이다. 연방 정부가 이러한 정책을 편 것은 각 주의 빚을 갚아 주면 자연스럽게 연방 정부의 권위와 영향력이 높아질 것이라는 생각에서였다.

미국의 수도인 워싱턴 D.C.의 야경

그러자 헌법을 만들 때부터 반연방주의를 강하게 주장했던 남부의 주들은 이에 반대했다.

"우리 남부의 주들은 북부에 있는 주들에 비해 빚이 적다. 빚이 많은 북부 주들에게만 혜택이 돌아가는 정책에 찬성할 수 없다!"

연방 정부는 남부 주들의 적극적인 참여가 없으면 연방 정부의 앞날이 순탄하지 않을 것이란 점을 잘 알고 있었다. 이에 연방 정부는 고민 끝에 남부의 주를 달래기 위해 새로운 제안을 했다.

"좋소, 만일 당신들이 연방 정부의 정책에 찬성해 준다면 현재 뉴욕에 있는 연방 정부의 수도를 남부 주에 가까운 곳으로 옮기도록 하겠소."

남부의 주들은 이 제안을 받아들였다. 그리하여 1800년, 연방 정부의 수도는 뉴욕 남쪽에 있는 포토맥 강이 흐르는 도시에 새로 건설되었다. 이 곳이 바로 오늘날 미국의 수도인 워싱턴 D.C.다.

연 방

미국의 정치와 사회를 잘 알려면 반드시 이해해야 하는 단어가
있다. 바로 '연방'이란 말이다. 국어 사전에서 연방의 뜻을
찾아보면, '자치권을 가진 여러 국가에 의해 구성이 되는
국가'라고 풀이되어 있다.

미국의 경우, 여기서
'자치권을 가진 여러 국가'는
현재 50개로 나뉜 각 주를
뜻한다. 미국 외에 캐나다,
스위스, 독일 등의 연방
국가들은 모두 자치권을 가진
주들이 모여 하나의 국가를
이루고 있다.
연방제와 우리 나라를 한번
비교해 보자. 우리 나라도
특별시, 광역시, 전라도나
경상도 같은 도 등 여러

지역으로 나누어진다. 그러나 이것은 단지 행정적으로 지역을
나눈 것이지 하나의 국가처럼 완전한 자치권을 가진 지역이
아니다. 따라서 우리 나라는 연방제 국가가 아닌 것이다.
연방제 국가에서는 연방 정부가 중앙 정부의 역할을 한다.
미국의 경우, 연방 정부의 최고 지도자는 대통령이다. 미국에서
우리 나라의 최고 위치에 있는 대법원의 역할을 하는 것은 연방
대법원이다. 미국의 화폐 발행, 이자율 같은 것을 다루는
기관의 이름도 연방 준비 제도 이사회다.
연방 정부가 가진 권리는 다른 나라와 협정·조약을 맺는
외교권, 국방의 권리와 책임, 다른 나라와의 무역을 관리하는
권한 등이다. 법률적인 논쟁이 있을 경우, 최종 판단을 하는
것도 연방 대법원에서 심사한다.
그렇다면 연방을 구성하는 50개의 주는 어떤 자치권을 가지고
있을까? 각각의 주는 정부를 두고 그 주의 사정에 맞춰
독립적으로 세금, 교육, 복지 제도에 관한 법을 만들고
실시하는 권리를 가지고 있다. 이 역할을 하는 것이 각 주마다
있는 주 정부며 주 정부의 최고 지도자는 주지사다.

황무지에 세워진 도시
워싱턴 D.C.

새 수도 건설 : 1792년

오늘날 미국 최대의 도시는 뉴욕이다. 뉴욕은 지금도 미국 경제와 문화의 중심지다. 그런데 미국의 수도는 뉴욕이 아니다. 미국 대통령이 일하는 백악관과 국회 의사당이 있는 미국의 수도는 바로 워싱턴 D.C.다.

워싱턴 D.C.가 건설된 곳은 버지니아 주와 메릴랜드 주가 만나는 지점이었다. 당시 이 땅은 황무지였다. 연방주의자들은 수도를 옮기는 것을 싫어했지만 반연방주의자들이 많은 남부 지방의 불만을 달래서 국민 통합을 이루기 위해서는 울며 겨자 먹기로 수도를 옮겨야 했다.

1792년, 드디어 새로운 수도 건설이 시작되었다. 대통령이 머무는 대통령 관저에 이어 국회 의사당 건설을 시작하였다. 오랜 시간에 걸쳐 설계를 해야 했고 늪을 메우는 어려운 공사 때문에 대통령 관저와 국회 의사당을 짓는 데는 상당한 시간이 걸렸다. 결국 조지 워싱턴은 자기 이름을 딴 도시에서 근무도 못 해 보고 대통령 임기를 마쳐야 했다. 제2대 대통령 애덤스도 마찬가지였다.

그럼 워싱턴이란 도시 이름에 붙는 'D.C.' 는 어떤 의미일까? 'D.C.' 는 'District of Columbia' 의 줄임말이다. 우리말로 '컬럼비아 특별 구역' 이라는 뜻이다. 말 그대로 워싱턴 D.C. 는 미국의 어느 주에도 속하지 않는 특별 구역인 것이다.

미국의 대통령 관저는 1812년 이후 백악관(White House)이라 불리고 있다.

처음에 이 도시를 세운 사람들은 도시 이름을 그냥 워싱턴이라고 하려고 했다. 문제는 그냥 워싱턴이라고 하면 어느 주에 속한 도시처럼 느껴질 수 있었다. 그래서 컬럼비아 특별 구역이라는 뜻의 D.C.를 워싱턴 다음에 붙인 것이다(현재 미국의 50개 주 중에도 워싱턴 주가 있는데 워싱턴 주는 미국 서부에 있는 지역으로 캐나다와 국경을 마주하고 있다).

그런데 완공된 대통령 관저는 훗날 시련을 겪었다. 1812년, 미국이 영국과 다시 전쟁을 벌일 때, 워싱턴을 점령한 영국군이 대통령 관저에 불을 지른 것이다. 미국인들은 영국군이 물러간 뒤 다시 복구 작업을 벌였는데, 대통령 관저 외벽의 불탄 자국을 확실하게 없애기 위해 벽을 하얗게 칠했다. 이 때부터 대통령 관저를 '하얀 집'이라는 뜻의 'White House(화이트 하우스)'라고 불렀다. 우리 나라에서는 이 건물을 '백악관(白堊館)'이라고 부른다.

이후에도 백악관은 몇 번 더 파손을 당하였고 그 때마다 보수 공사를 하였다. 오늘날 우리가 국제 뉴스 시간에 보는 백악관의 모습은 20세기에 들어와 케네디 대통령 시절에 새롭게 단장한 것이다. 이런 역사를 가진 덕분에 백악관은 워싱턴에서 가장 유명한 관광지가 되었다.

3

남북의
분열과 발전

- 루이지애나 매입
- 미·영 전쟁 발발
- 인디언 추방법 제정
- 골드 러시
- 링컨 대통령 당선
- 게티즈버그 전투

연방주의와
반연방주의의 대립

프랑스 혁명 : 1789년

'삼국지'에 등장하는 유비와 조조처럼, 어느 시대에나 경쟁자는 있게 마련이다. 조지 워싱턴이 대통령으로 미국을 다스리던 시대에도 유명한 라이벌이 있었다. 바로 국무 장관인 토머스 제퍼슨과 재무 장관인 알렉산더 해밀턴이다.

두 사람은 장관으로 임명되기 전부터 사이가 좋지 않았다. 제퍼슨은 반연방주의를 대표하는 정치인이었는데, 그는 연방 정부의 힘을 최소화하고 대신 각 주들이 더욱 강력한 자치권을 가져야만 민주주의가 제대로 발전할 수 있다고 생각하였다. 제퍼슨의 주장은 연방주의에 반대했던 남부 지역 사람들로부터 큰 지지를 얻었다. 이 사람들이 만든 당이 자유 공화파였다.

그러나 해밀턴은 이와는 반대였다.

"제퍼슨의 주장은 완전히 잘못됐다. 우리 미국은 신생 독립국이다. 따라서 나라의 힘을 키우는 것이 무엇보다도 중요하다. 그러려면 강력한 힘을 가진 연방 정부가 있어야 한다."

해밀턴이 주장하는 연방주의는 북부 사람들로부터 지지를 얻었다.

두 사람이 장관으로 일하던 때, 유럽의 프랑스에서는 국민들이 왕을 내쫓는 프랑스 혁명이 일어났다. 그러자 영국, 오스트리아 같은 유럽의 강대국들은 프랑스 혁명의 영향이 자기 나라로 퍼질 것을 염려해 프랑스와 팽팽하게 대립하였다. 유럽에 언제 전쟁이 터질지 모르는 위기가 닥친 것이다.

미국은 심각한 고민에 빠졌다. 만약 영국과 프랑스 사이에 전쟁이 일어날 경우, 어느 나라를 지지해야 하는가? 여기에서 의견이 갈렸는데 연방주의자들은 영국을 지지했고 반연방주의자들은 프랑스를 지지했다. 나라의 여론이

프랑스 혁명의 정신이 담겨 있는 인권 선언문(위)과 베르사유 궁전으로 몰려가는 시민들(아래)

자유의 여신상

뉴욕에 있는 자유의 여신상은
프랑스 국민들이 돈을 모아서
미국의 독립 100주년을
축하하기 위해 선물한
것이다. 여신상의 높이는
횃불까지 약 47.5m고,
무게는 225톤이다.

두 동강난 것이다.

그러나 미국은 결국 중립을 선언했다.

"우리가 1788년 프랑스 파리에서 강화 조약을 맺은 것은 프랑스 왕과 맺은 것이다. 그런데 프랑스 왕은 국민들의 손에 의해 죽고 말았다. 그렇다면 우리가 프랑스와 맺은 협정은 이제 아무 의미가 없다."

이러한 구실로 중립 정책을 밀어붙인 사람은 연방주의자 해밀턴이었다. 해밀턴은 원래 귀족주의자였다. 그는 프랑스 시민들이 왕을 죽이고 시민 혁명을 일으킨 뜻을 완전히 무시하는 태도를 보인 것이다. 그는 이렇게 주장했다.

"국가가 제대로 굴러가려면 우수한 인재와 귀족 등 사회 지도층이 중심이 되어야지 일반 백성들이 혁명을 일으킨다면 그 나라는 제대로 발전할 수 없다."

그러나 제퍼슨은 생각이 달랐다.

"해밀턴은 말도 안 되는 소리를 하고 있다. 프랑스 혁명은 민주주의를 바라는 프랑스 국민들의 고귀한 뜻이 혁명의 성공으로 꽃핀 것이다. 우리의 독립 정신과 프랑스 혁명의 정신은 매우 비슷하다. 그러므로 미국은 프랑스 편을 들어야 했다."

실제로 제퍼슨은 프랑스 혁명의 성공을 돕기 위해 자기와 뜻이 같은 사람들로부터 돈을 거둬 무기를 사서 프랑스에 보내 주기도 하였다.

이 일을 계기로 연방주의자와 반연방주의자 사이는 더욱 나빠졌다. 워싱턴 D.C.에 일하러 온 국회 의원들도 파가 다르면 같은 호텔에 함께 묵지도 않았다. 이러한 대립은 훗날 남북 전쟁이라는 커다란 비극을 낳고 말았다.

민주당과 공화당

현재 미국의 정치는 민주당과 공화당이 맞서서 경쟁하고 있다.
그런데 이 두 당은 같은 뿌리에서 나온 당이다.

19세기 들어 연방 정부는 조지 워싱턴 대통령 때와는 달리 어느
정도 안정을 되찾을 수 있었다. 그러자 연방 정부의 권력
강화를 주장하던 연방파는 이제 쓸모가 없어지게 되었다. 결국
1812년 연방파는 사라지게 되었다.

그리고 반연방주의자들이 만든 자유 공화파는 민주 공화당이란
이름으로 다시 태어났다. 얼마 안 가 민주 공화당은 민주당과
국가 공화당으로 분열이 되었다.

분열은 계속 이어졌다. 남북 전쟁 무렵 국가 공화당 안에서
노예 제도를 반대하는 사람들이 당을 뛰쳐나와 새로운 당을
만든 것이다. 바로 공화당이다. 이 때 공화당에서 대통령
후보로 나와 당선된 사람이 링컨이다. 이 때부터 미국은
민주당과 공화당의 양당 시대가 되었다.

또한 미국에는 새로운 당이 생겨나기도 하였다. 노예 제도를
반대하는 사람들, 노동자를 위하는 사람들이 자신들의 목적을

이루기 위해 당을 만든 것이다. 그러나 공화당과 민주당이라는
양대 세력 앞에 다른 당들은 잠시 반짝했다가 금방 사라지는
존재에 불과했다.
오늘날 미국은 대통령 선거 때도 민주당 후보와 공화당 후보가
경쟁을 벌인다. 현재 미국 대통령인 조지 부시는 공화당의
후보로 나와 대통령에 연거푸 당선이 된 사람이다. 반대로 조지
부시 전에 대통령을 했던 클린턴은 민주당 후보로 나와
대통령에 당선되었다.

점점 더 커져 가는 미국의 땅

루이지애나 매입 : 1803년

　연방 정부가 생겼지만 미국의 국토는 여전히 북아메리카의 동부를 중심으로 한 땅에 불과했다. 북아메리카 대륙의 전체 면적에 비교하면 조그마한 면적이었다. 신대륙의 중부와 서부는 아직 개척이 되지 않았거나 이미 다른 나라의 땅이었다.

　미국에서 가장 긴 강인 미시시피 강에서 미국을 대표하는 큰 산맥인 로키 산맥에 이르는 넓은 지역을 루이지애나 지방이라고 불렀다. 그러나 이 지역도 아직은 미국 땅이 아니었다. 한반도의 10배에 이르는 이 넓은 땅의 주인은 바로 프랑스였다.

　그런데 1803년, 미국은 프랑스로부터 이 땅을 매우 싼 가격에 사들여서 미국의 땅으로 만들었다. 1평방 마일당 18센트라는 가격에 구입했으니, 세계 역사에서 이토록 넓은 땅을 이토록 싼값에 산 경우는 없었다. 루이지애나 땅을 산 뒤 미국은 땅의 넓이 면에서 러시아, 중국에 뒤지지 않는 나라가 되었다.

미국은 1803년 프랑스로부터 아주 싼 값에 루이지애나 지방을 사들여 더욱 넓은 땅을 개척해 나갔다.

그럼 미국은 어떻게 한반도의 10배나 되는 넓은 땅을 그처럼 싼 가격에 살 수 있었을까? 1803년에 프랑스를 다스리던 사람은 나폴레옹이었다. 미국은 상업적으로 매우 중요한 위치에 있는 뉴올리언스 땅을 프랑스로부터 사들이기 위해 프랑스로 대표단을 보냈다.

이 무렵, 유럽을 호령하던 나폴레옹에게는 서인도 제도에 골칫거리가 하나 있었다. 프랑스가 지배하던 서인도 제도의 섬 산토 도밍고에서 일어난 반란이었다. 나폴레옹은 소규모 군대만으로도 반란을 진압할 수 있을 것으로 생각했지만 섬에 사는 원주민 반란자들은 끈질기게 저항하였다.

당시 나폴레옹은 같은 유럽 내의 라이벌인 영국과 전쟁을 앞두고 있었다. 나폴레옹은 영국의 해군이 막강하기 때문에, 영국이 나중에 대서양을 건너가서 루이지애나를 차지할지 모른다는 걱정까지 들었다.

'영국에게 루이지애나를 빼앗길 가능성이 있다면, 이번 기회에 미국에게 그 땅을 팔면 어떨까? 어차피 루이지애나는 우리 프랑스와 너무 멀리 떨어져 있어서 관리하기도 힘든데.'

나폴레옹은 마침 자신을 만나러 온 미국 대표에게 난데없는 제안을 했다.

"내가 골치 아파서 그러니 루이지애나 땅을 미국이 싼값에 사는 게 어떻겠소?"

나폴레옹과 미국 대표가 루이지애나 매입에 관해
이야기를 나누는 모습

미국 대표는 그 말을 듣고 깜짝 놀랐다. 미국 대표는 이 놀라운 제안에 대통령의 허락도 받지 않고 곧바로 사겠노라고 대답했다. 그는 곧 얼마에 루이지애나 땅을 살 것인지 프랑스와 협상을 벌였다. 협상 결과 1,500만 달러에 사는 것으로 합의했다. 1평방 마일당 18센트라는, 너무나 싼 가격이었다. 미국으로서는 프랑스의 복잡한 사정 때문에 뜻밖의 횡재를 한 셈이었다.

당시 미국의 제퍼슨 대통령은 협상이 완료된 며칠 뒤에야 이 사실을 알게 되었다. 다른 나라 땅을 사는 건 외교적인 문제이기 때문에 반드시 대통령에게 미리 보고를 해야 하고 또 대통령과 국회의 허락을 받아야 하는 일이다. 법대로라면 프랑스와 협상한 미국 대표는 잘못을 한 책임을 지고 벌을 받아야 했다. 하지만 누가 보더라도 루이지애나 땅을 그토록 싼 가격에 구입한 것은 복권에 당첨된 것만큼이나 큰 행운이었다.

이 소식을 들은 미국의 몇몇 국회 의원은 대표단에게 당장 책임을 지고 사퇴하라며 비난했지만, 제퍼슨 대통령이 이들을 설득한 끝에 미국의 루이지애나 매입은 완전히 이루어지게 되었다.

루이지애나 땅을 자기 땅으로 삼은 미국의 국토는 이제 로키산맥 쪽까지 확장되었다. 이 때부터 미국의 본격적인 서부 개척이 시작되었다. 미국인들은 지금도 서부 개척의 역사를 자랑스럽게 말하는데, 서부 개척의 일등 공신은 미국 사람이 아닌 바로 나폴레옹이었던 것이다.

미국을 침략한 영국

미영 전쟁 : 1812~1814년

1803년, 영국과 프랑스는 유럽의 지배권을 놓고 전쟁을 벌였다. 삽시간에 유럽 여러 나라를 정복한 나폴레옹의 군대였지만 영국과의 대결에서는 고전을 면하지 못했다. 특히 해군의 경우, 영국은 프랑스보다 강한 군대를 가지고 있었다.

당시 미국은 프랑스에 많은 농작물을 수출하였고 또 여러 제품을 수입하고 있었다. 영국 해군은 프랑스군의 힘을 떨어뜨리기 위해 대서양에 영국 함대를 배치해서 프랑스로 들어가는 모든 배의 출입을 막았다(전쟁에서 군대나 물품이 상대방에게 들어가지 못하게 하는 이런 작전을 '봉쇄 작전'이라고 한다).

그런데 1807년, 미국의 한 상선이 대서양을 봉쇄하고 있던 영국 함대의 공격을 받는 사건이 벌어졌다. 당시 미국 사람들은

유럽 전쟁에서 프랑스를 지지하는 쪽과 영국을 지지하는 쪽으로
나누어져 있었는데, 프랑스를 지지하는 사람들(자유 공화파)은
반대하는 사람들을 물리치기 위해 영국과 전쟁이라도 해야 한다
는 쪽으로 여론을 몰아갔다. 여론이 높아지자 영국과 전쟁을 할
생각이 없던 대통령도 결국 1812년 전쟁을 선포했다.

　미국은 당시 영국이 다스리던 캐나다 지역을 공격하였다. 그
러나 준비도 제대로 하지 않은 상태에서 공격을 했기 때문에 별
성과를 거두지 못했다. 또한 미국은 애당초 배를 타고 영국 본
토에 가서 전쟁을 할 능력이 없었다. 영국도 프랑스와 전쟁을

하느라 미국과의 전쟁에 신경을 쓸 틈이 없었다. 결국 전쟁 같지도 않은 전쟁이 터졌고 시간만 흘러갈 뿐이었다.

그런데 1814년, 프랑스를 물리친 영국이 여유를 찾은 뒤에는 사정이 달라졌다.

"그래, 미국놈들이 우리가 프랑스와 전쟁을 하는 사이 대영 제국의 땅인 캐나다를 공격했단 말이지? 이 건방진 놈들! 과거에 너희 독립 전쟁 때는 우리가 졌지만 이번에는 우리도 가만 있지 않을 테다!"

미국으로 건너온 4,000여 명의 영국군 부대는 미국의 수도 워싱턴을 정복하는 데 성공했다. 조선 시대에 일어난 임진왜란 때 우리 나라가 수도인 한성을 일본에게 일시적으로 빼앗긴 것과 같은 상황이 벌어진 것이다.

그러나 영국의 승리는 거기까지였다. 수도를 탈환하려는 미국의 반격도 만만치 않았다. 미국군의 반격에 영국군은 다시 워싱턴에서 물러나야 했다.

그제야 영국은 미국이 과거 독립 전쟁을 벌일 때와 비교하면 엄청나게 강해진 것을 알아차렸다. 영국은 미국과 전쟁을 계속해 나간다면 이로울 게 없다고 생각했다. 미국도 마찬가지였다. 국내 정치 세력들 간의 갈등 때문에 시작된 전쟁이기 때문에 미국 대통령은 하루라도 빨리 전쟁을 끝내는 것이 좋다고 생각했다.

그리하여 1814년, 결국 미국과 영국은 다시 평화 협정을 맺었다. 누가 진 것도 이긴 것도 아닌 어정쩡한 평화 협상이었다.

1812년에 시작된 미영 전쟁은 이렇게 끝이 났다. 그런데 미영 전쟁의 역사에서 가장 치열한 전투는 평화 협정이 맺어진 뒤에 미국의 뉴올리언스에서 벌어졌다.

왜 평화 협정이 맺어졌는데도 뉴올리언스에서 영국군과 미국군이 싸웠을까? 그 이유는 당시는 통신 수단이 제대로 발달하지 않아서였다. 양국 군대는 평화 협정이 맺어졌다는 사실을 미처 몰랐던 것이다.

화폐 속의 인물
미국도 다른 나라처럼 국가에 큰 공적을 남긴 사람을 화폐 속의 인물로 정한다.
미국 화폐에 등장하는 인물 중에 앤드루 잭슨이 있다.
그는 미영 전쟁 중 뉴올리언스 전투에서 미군의 승리를 이끈 사람이다.

자유주와 노예주의 팽팽한 대립

미주리 주 연방 가입 : 1819년

영국과의 두 번에 걸친 전쟁 기간 동안에 미국 국민들은 나름 대로 단결하였다. 그러나 전쟁이 끝나자 다시 연방주의를 주장 하는 정치가들과 반연방주의를 주장하는 정치가들 사이의 갈등 이 시작되었다. 연방주의는 북쪽에 위치한 주들이 주장했고, 반 연방주의는 남쪽에 있는 주들의 주장이었다.

북부의 주들과 남부의 주들이 가장 팽팽하게 대립한 것은 관 세 문제와 노예 제도 문제였다. 연방 정부가 외국의 수입품에 대해 관세를 물리기로 결정하자 북부 주들은 두 손 들어 환영했 다. 공업이 발달한 북부 주는 관세 정책으로 국내 공업을 보호 할 수 있었기 때문이다.

그러나 남부는 반대였다. 공장은 별로 없고 농장이 많았던 남부는 상품을 외국으로부터 수입해야 하는 처지인데 관세를 물리면 수입 상품의 가격이 더 올라가 남부 사람들의 부담이 더욱 커질 것이었기 때문이다.

노예 문제도 심각했다. 노예 제도 폐지를 주장하는 사람들 중에는 노예 제도는 미국이 믿는 기독교의 정신에 맞지 않는 잘못된 제도라고 생각하는 사람도 있었다. 그러나 더 큰 이유는 경제적인 문제에 있었다.

북부는 노예 제도 폐지를 찬성했고 남부는 노예 제도 유지를 주장했다. 농장이 많은 남부 입장에서는 노예 제도

남부 사람들은 노예 제도가 유지되어야 한다고 주장했다.
그림은 남부의 노예 경매장.

를 폐지하면 노예로 부리는 흑인에게도 월급을 주어야 하기 때문에 농장에서 얻는 이익이 크게 줄어들 게 뻔했다.

공업이 발달한 북부는 그 당시 공장에서 일할 사람이 모자랐

다. 노예를 해방시킬 경우, 많은 흑인들이 남부에서 북부 지방으로 올라와 일을 하면 과거보다 적은 비용으로 공장을 운영할 수 있었다.

　노예 제도에 찬성해서 노예법을 실시하는 남부의 주들을 '노예주'라고 불렀고, 노예 제도에 반대하는 북부의 주들을 '자유주'라고 불렀다. 남부와 북부는 오랫동안 이 문제로 팽팽하게 맞섰다. 그러나 결론은 쉽게 나지 않았다.

　독립 이후부터 사사건건 충돌한 남북이 전쟁을 벌이지 않은 이유는 그 때까지 남부 주와 북부 주의 수가 각각 11개로 세력이 비슷했기 때문이다.

　그런데 때로 이 세력 균형이 무너지는 순간이 있었다. 미국의 영토가 넓어지면서 새로운 주가 속속 생겨났던 것이다. 새로 생긴 주는 연방 가입 절차를 밟아야 했는데, 1819년 미주리 주가 연방 가입을 하게 되었다.

　발등에 불이 떨어진 것은 북부 주들이었다.

스토 부인(위)은 〈톰 아저씨의 오두막집〉(아래)이라는 작품으로 미국에 노예 해방의 바람을 일으켰다.

"큰일났소! 미주리 주에는 노예를 부리는 농민들이 많아요! 그들은 분명 연방 가입을 하면 노예주를 선택할 것이오! 그러면 우리 자유주의 세력이 약해집니다. 무슨 수를 써서라도 막아야 합니다."

북부는 미주리 주가 노예 제도를 실시하는 노예주가 되는 걸 막기 위해 새로운 연방법을 만들려고 했다. 그러자 노예주가 이 시도를 결사적으로 막았다. 이 과정에서 남과 북은 서로를 더욱 미워하게 되었다.

남북 갈등을 해결할 수 있었던 것은 미주리 주에 이어 또 하나의 주가 연방 가입을 신청하면서부터였다. 바로 메인 주였다. 결국 미국의 정치가들은 타협을 하기에 이르렀다. 미주리 주는 노예주로 연방 가입 신청을 하고, 메인 주는 자유주로 연방 가입 신청을 한다는 협정을 맺은 것이다.

이렇게 해서 남북 간에 전쟁이라도 일어날 것 같았던 위기는 끝이 났다. 그러나 일부 사람들은 남과 북의 갈등이 이것으로 끝난 것이 아님을 알고 있었다. 언젠가는 남과 북의 갈등이 폭발할 것이라고 예상했던 것이다.

먼로 대통령의
강대국 선언

먼로 독트린 : 1823년

1823년, 미국의 대통령이었던 먼로는 국회에서 역사적인 연설을 했다.

"이제 북아메리카는 물론 중앙 아메리카, 남아메리카는 더 이상 유럽 강대국의 식민지 대상이 아닙니다. 만약 유럽 강대국이 아메리카 대륙 어느 나라라도 침략한다면 우리 미국은 그것을 미국에 대한 위협으로 생각할 것입니다. 또 미국은 유럽에서 강대국들 간에 전쟁이 일어날 때 어느 편도 들지 않을 것입니다."

이것을 '먼로 독트린(먼로 선언)'이라고 한다. 먼로가 이런 선언을 한 것은 미영 전쟁 때처럼 유럽 나라 간의 전쟁에 끼여들었다가 불필요한 전쟁 속으로 함께 휩쓸리는 일을 방지하기 위해서였다.

먼로 독트린을 발표한 미국 제5대 대통령 먼로

먼로 독트린은 영국과 프랑스, 스페인 같은 유럽의 강대국에게는 무척 기분 나쁜 소식이었다. 과거 영국의 식민지에 불과했던 미국이 자기들을 향해 위협적인 경고를 해 왔기 때문이다.

그러나 기분은 나빠도 미국에 대해 대놓고 비난을 한 나라는 없었다. 세월이 흐르는 사이 미국은 어느덧 많은 인구와 넓은 땅을 가진 강대국이 되어 있었기 때문이다.

미국의 힘이 커진 데에는 미국이 세계적인 공업 국가로 성장한 것도 한몫 하였다. 산업 혁명이라고 하면 흔히 영국에서 일어난 산업 혁명을 떠올린다.

그러나 미국에서도 19세기 중반부터 영국 못지않은 산업 혁명이 일어났다. 이 시기를 거치면서 미국은 농업 국가에서 세계적인 공업 국가로 크게 발돋움하였다. 특히 섬유 산업과 철강 산업은 미국이 최고였다. 산업 혁명이 성공하려면 사람, 자원, 새로운 기술과 교통 수단 등 모든 조건을 두루 갖춰야 하는데, 미국은 산업 혁명이 일어나기에 무척 좋은 조건을 가진 나라였

세계에서 가장 큰 규모를 자랑하는
미국의 피츠버그 제철소

다.

사람의 경우, 많은 사람들이 유럽으로부터 이민을 왔기 때문에 공장은 사람이 부족할 일이 없었다. 지하 자원의 경우에도 미국은 석유부터 철광석에 이르기까지 많은 자원을 가진 나라였다. 새로운 기계와 생산 기술이 연이어 발명되면서 공장의 생산량도 폭발적으로 늘어났다. 1825년에는 오대 호와 대서양을 연결하는 길이 500km의 대운하도 건설하였다. 대서양을 건너온 배들은 이 운하를 통해 거슬러 올라가 미국 내륙 깊숙이 상품을 실어 나를 수 있었다. 또한 운하가 지나가는 주변에는 큰 공업 도시들이 속속 들어섰다.

먼로 대통령의 선언 후 미국은 실제로 유럽의 전쟁에 관여하지 않았다. 그런데 미국의 힘이 커지면서 먼로 선언은 미국이 중앙 아메리카와 남아메리카 지역의 정치를 간섭하는 외교 정책으로 이어졌

로스앤젤레스 만의 해저 유전

다. 즉, 아메리카 대륙에 있는 나라 사이에서 분쟁이 일어나고 그것이 미국의 이익을 해칠 경우 미국은 그 국가의 정치에 개입해서 미국에 이롭도록 전쟁이나 분쟁을 해결하려고 한 것이다.

유럽의 지식인들 중에는 미국의 이런 태도를 비웃는 사람도 많았다.

"미국은 모순 덩어리다. 유럽 국가들에게는 아메리카 대륙에 간섭하지 말라고 하면서 자기들은 아메리카 대륙 다른 나라 일에 이래라저래라 간섭하다니!"

힘이 더욱 커진 미국은 이제 아메리카 대륙에서 가장 강력한 제국주의 국가가 되어 있었던 것이다. 아메리카 대륙의 어떤 나라에 분쟁이 일어날 경우 자기 나라 군대를 보내 일시적으로 평화를 유지하는 일을 맡을 정도였다. 그러는 사이, 미국 기업은 아메리카 대륙 곳곳에 진출해서 미국의 경제적인 영향력을 키웠다.

심지어 시간이 지나면서 미국은 아메리카 대륙뿐만 아니라 아시아의 여러 나라에도 군대를 보내 힘을 키워 나갔다. 이것은 과거 영국과 스페인이 아메리카 대륙을 식민지로 만들 때와 하나도 다를 게 없었다.

지금도 미국은 자기들이 세계 자유 민주주의의 수호자라고 말

미국의 오대 호

미국과 캐나다의 국경이
만나는 미국 북부에는 거대한
다섯 개의 호수가 있다.
슈피리어 호, 미시간 호, 휴런
호, 이리 호, 온타리오 호다.
이리 호와 온타리오 호로
통하는 곳에 나이아가라
폭포가 있다.

오대 호 중 이리 호와 온타리오 호로 통하는 곳에 있는 나이아가라 폭포

한다. 그러나 미국을 비판하는 사람은 미국이
진정한 수호자가 아니라 자신들의 이익을 위해
군사적인 힘까지 멋대로 이용하는 제국주의 국
가라고 평가하고 있다.

미국 최초의 서민 대통령

앤드루 잭슨 대통령 당선 : 1828년

미국은 모든 사람이 평등하다는 사상 위에 세워진 나라였다. 그러나 속사정은 달랐다. 남부의 주들은 여전히 노예 제도를 폐지하지 않고 있었고, 세금을 어느 정도 내야 투표권을 주는 정책도 유지하고 있었다. 정치 또한 돈이 많은 사람들만이 할 수 있는 일이었다. 집안이 든든하지 않고 돈이 없으면 정치가로 성공하기 힘들었다.

그런데 시간이 흐르면서 차츰 변화가 나타나기 시작했다. 가난한 집안에서 태어난 사람 중에서도 자기 힘으로 노력하여 성공을 하는 사람들이 많이 나타난 것이다. 특히 개척 정신을 가지고 서부로 건너간 사람들 중에 그런 사람이 많았다.

민주주의 제도에 익숙해지면서 국민들이 바라는 민주주의의 수준도 점점 높아졌다. 결국 세금을 많이 내야 투표권을 주던 제도는 모든 백인 남성들에게 투표권을 주는 제도로 바뀌었다. 그러나 여성은 이때도 여전히 투표권이 없었다.

최초의 서민 출신 대통령 앤드루 잭슨(위)과 그의 이름을 딴 미시시피 주의 도시 잭슨(아래)

귀족, 부자 중심의 세상에서 서민들도 노력하면 세상의 중심 인물이 될 수 있다는 분위기가 점차 커지더니 마침내 서민 출신의 첫 미국 대통령까지 탄생하였다. 제7대 대통령 앤드루 잭슨이 바로 그런 인물이다.

잭슨은 어린 나이에 부모를 잃고 가난하게 자란 사람이었다. 그는 혼자 힘으로 법을 공부해서 변호사가 되었고 이어 국회 의원까지 되었다. 그는 또 영국과 벌어진 전쟁 때 군사 지도자로서 눈부신 활약을 해서 미국의 많은 사람들이 존경하는 영웅이 되었다.

그러나 잭슨이 대통령에 출마했을 때 그가 당선이 되리라고 예상한 사람은 많지 않았다. 대통령은 당시까지도 부유한 가문 출신들이 차지했던 자리였기 때문이다. 그러나 잭슨은 두 차례의 도전 끝에 미국 역사상 최초의 서민 출신 대통령이 되었다.

잭슨과 같은 서민 출신의 정치 지도자는 거의 없었다. 그는 특히 귀족 문화가 발달했던 남부 출신의 정치 지도자들과 의견이 달라 사사건건 부딪쳤다. 한번은 잭슨 대통령이 수입품에 대해 관세를 올리려고 하자 남부의 주들이 결사적으로 반대하는 일이 일어났다. 어떤 주는 관세 정책을 폐지하지 않으면 연방에서 탈퇴하여 독립 국가가 되겠다고 경고하기까지 했다.

WASP(워스프)

White Anglo-Saxon Protestant의 약자인 WASP는 미국 사회의 주류 세력을 가리키는 말이다. 백인에, 앵글로색슨 계통에, 기독교인의 세 가지 조건을 갖춘 사람을 의미한다. 미국에서는 20세기 전까지 WASP여야만 출세할 수 있었다.

"뭐? 연방에서 탈퇴하겠다고? 우리 미국이 몇몇 부자들의 나라인가? 돈이 있든 가난하든 국민 한 사람 한 사람이 땀을 흘려 만든 국가란 말이다!"

잭슨은 연방 탈퇴 경고를 한 지역에 군대를 보냈다. 그리고 국민들을 향해 말했다.

"연방 정부에서 정한 정책에 반대하는 것은 미국 헌법을 무시하는 것입니다."

잭슨의 주장은 상당수 국민의 지지를 얻었다. 결국 여론이 안 좋아지자 연방 탈퇴를 주장했던 남부의 주는 슬그머니 꼬리를 내렸다.

그러나 잭슨은 무척 백인 중심적인 사람이었다. 그래서 그는 인디언을 강제 이주시키는 정책을 펴서 인디언들에게는 저주를 받는 인물이 되고 말았다.

땅 끝으로
내몰린 사람들

인디언 추방법 제정 : 1830년

콜럼버스가 신대륙을 발견했을 무렵, 인디언은 콜럼버스가 처음 도착한 서인도 제도의 섬 지역은 물론, 미국 본토 곳곳에 살고 있었다. 그런데 영국인들이 미국 동부에 식민 도시를 개척하면서 서부로 밀려난 인디언들은 그 뒤에 어떻게 되었을까?

19세기에도 미국 중서부 지역에는 여러 인디언 종족이 살고 있었다. 그런데 미국 정부는 서부로 국경을 넓혀 나가면서 백인들이 인디언과 함께 사는 것은 힘들다는 결론을 내리고, 그들을 다시 서부로 몰아 내는 정책을 폈다.

사람이 조상 대대로 살던 땅을 떠나 기후 조건이 다른 곳에 가서 사는 것은 쉬운 일이 아니다. 인디언들도 마찬가지였다. 계속해서 서쪽으로 내몰린 인디언들 중에는 옮겨 간 곳의 자연

아메리카 대륙의 원주민이었던 인디언들은 백인들에 의해 강제 이주를 당해 좁은 땅에
갇혀 지내는 신세가 되고 말았다.

환경에 적응하지 못해 죽어 간 사람들도 많았다.

인디언 부족 중에는 백인에 맞서기보다 백인과 타협해서 평화
롭게 사는 방법을 택한 부족도 있었다. 바로 체로키 부족이 대
표적인 경우다. 오랫동안 백인들과 평화롭게 지내 온 그들은 더
욱 안정적인 평화 유지를 위해서 조지아 지방에 자신들만의 독
립 정부를 세울 수 있게 해 달라고 백인들에게 부탁했다.

그러나 조지아 주 정부는 이것을 허락하지 않았다. 조지아 주
는 체로키족의 독립 공화국을 허가하기는커녕 총과 칼을 앞세워
체로키족이 살던 땅을 점령했다. 결국 체로키족은 자신들이 살

던 땅을 빼앗기고 '인디언의 땅'이란 뜻을 가진 오클라호마 지방으로 옮겨 가야 했다. 먼 길을 이동하는 동안 수많은 인디언들이 병과 배고픔으로 죽고 말았다. 체로키족이 살던 땅은 백인의 차지가 되었음은 물론이다.

이런 고난을 겪은 것은 체로키족만이 아니다. 대부분의 인디언 부족이 비슷한 과정을 밟아 땅을 빼앗기고 이곳 저곳을 떠도는 이방인 신세가 되었다.

체로키족의 고난은 여기서 끝나지 않았다. 인디언들이 오클라호마 지역으로 이주하고 20년이 지났을 때 이 지방에 다시 백인들이 밀어닥쳤다. 백인들은 과거에 그러했던 것처럼 또 다시 인디언을 몰아 냈다.

시간이 갈수록 인디언의 수는 줄어만 갔다. 심지어 미국 정부는 1830년 인디언 추방법을 제정하였고 '인디언 보호 구역'을 만들어 인디언들을 강제로 이주시키고 보호 구역 이외의 다른 곳에서는 살지 못하게 했다. 신대륙의 주

버펄로

미국의 평원에서 살던 들소를 '버펄로'라고 한다. 버펄로는 인디언의 좋은 양식이었다. 현재 미국에는 버펄로라는 도시도 있고 '버펄로 빌즈'라는 미식 축구 팀도 있다. 또 한때는 버펄로 가죽으로 만든 신발도 인기를 끌었다.
(사진은 미국 뉴욕 주의 도시 버펄로)

인들이 동물원의 우리에 갇힌 짐승처럼 내몰려 좁고 좁은 땅에
갇혀 지내는 신세가 되고 만 것이다.

미국의 문예 부흥

최초의 추리 소설 탄생 : 1841년

아직도 유럽 사람들 중에는 미국을 무시하는 사람이 있다. 그들이 미국을 무시하는 이유는 미국이 군사와 경제면에서는 세계 최강일지 몰라도, 문화적 전통을 따지자면 유럽의 나라들을 따를 수 없다고 생각하기 때문이다.

위의 주장처럼 미국은 유럽에 비하면 문화적인 전통이 매우 짧은 나라다. 19세기의 경우만 보아도 문학, 음악, 미술 모든 분야에서 그러했다. 그렇다고 미국이 문화적인 향기가 전혀 없는 무미건조한 나라인 것은 아니다. 시간이 흐르면서 미국에서도 나름대로 수준 높은 여러 문화들이 나타났기 때문이다.

문학의 예를 들어 보자. 세계 최초로 추리 소설을 쓴 사람은 누구일까? 정답은 미국의 소설가 에드거 앨런 포다. 그는

〈큰 바위 얼굴〉과 〈주홍 글씨〉로
유명한 작가 나사니엘 호손

1841년 〈모르그가의 살인 사건〉이라는 최초의 추리 소설을 썼다. 이 외에 〈황금 풍뎅이〉, 〈검은 고양이〉 같은 유명한 작품들을 남겼다.

포 못지않은 작가들이 뒤를 이어 미국 문학계에 이름을 알렸다. 〈큰 바위 얼굴〉로 유명한 나사니엘 호손, 거대한 고래와 맞서 싸우는 인간을 다룬 해양 소설 〈백경(모비 딕)〉을 쓴 허먼 멜빌도 19세기 미국의 작가다.

이들 미국 작가의 작품은 유럽으로 전해져 큰 인기를 끌었고, 수많은 유럽 작가들에게 영향을 끼쳤다.

또한 이 시기에는 유명한 시인들도 여럿 있었다. 롱펠로라는 시인이 대표적이다. 롱펠로의 시는 우리 나라에도 잘 알려져 사람들이 즐겨 암송하는 시가 되었다. 〈인생 찬가〉 같은 시가 대표적인데 다음은 〈인생 찬가〉의 한 대목이다.

해양 소설 〈백경(모비 딕)〉으로
유명한 작가 허먼 멜빌

우리가 가야 할 곳,

또는 가는 길은

향락도 아니요,

슬픔도 아니다.

저마다

내일이 오늘보다 낫도록

행동하는 그것이

목적이요, 길이다.

　이 외에 〈풀잎〉이라는 작품으로 유명한 월트 휘트먼도 19세기 미국을 대표하는 시인이다. 또한 아름다운 수필을 쓴 사람도 있다. 욕심을 버리고 자연과 더불어 살아가는 삶의 태도를 표현한 데이빗 소로의 〈월든(숲 속의 생활)〉 같은 작품은 발표된 지 오래 되었지만, 미국인은 물론 세계 여러 나라 사람들이 아직까지도 읽고 있는 고전 작품이다.

알라모 요새에서의 전투

미국과 멕시코의 전쟁 : 1846~1848년

미국이 프랑스로부터 사들인 루이지애나 땅 너머에는 또 다른 넓은 땅이 있었다. 오늘날의 텍사스, 오리건, 캘리포니아 지역들이다.

이 땅은 황무지가 아니었다. 엄연히 인디언들이 살고 있었다. 또 한때 스페인과 멕시코가 지배하던 땅도 있었다.

카우보이로 유명한 텍사스도 멕시코의 땅이었다. 멕시코는 텍사스의 지배권을 가지고 있었지만 여기에 많은 멕시코 사람들이 들어와서 살지는 않았다. 그런데 19세기 초, 오스틴이라는 미국인이 이 땅에 사람들을 끌고 와서 도시를 세웠다. 서부로 진출하는 미국인들과 이민자가 많아지면서 텍사스의 인구는 금방 늘어났다.

"왜 너희들은 남의 땅에 허락도 받지 않고 들어와 사느냐?"

1836년, 보다못한 멕시코가 들고 일어났다. 멕시코는 미국이 말을 듣지 않자 부대를 이끌고 텍사스에 들이닥쳤다. 텍사스에 살던 사람들은 별도의 군대가 없었기 때문에 시민들이 만든 군대인 민병대로 그들에 맞섰다.

멕시코 군대와 텍사스 민병대가 전투를 벌인 곳은 알라모 요새였다. 전투는 민병대의 참혹한 패배로 끝이 났다. 민병대 중 살아남은 사람은 아무도 없었다.

민병대의 죽음을 전해 들은 텍사스 사람들은 '알라모의 비극을 잊지 말자!'며 다시 민병대를 조직해서 더욱 거세게 멕시코 군대에 맞섰다. 결국 최후 전투에서 승리한 것은 텍사스 사람들이었다.

멕시코를 몰아 낸 텍사스는 처음에는 독립된 공화국을 세웠다. 당시 민병대를 지휘했던 휴스턴이 첫 대통령이 되었는데, 오늘날 텍사스의 중심 도시인 휴스턴은 이 사람의 이름을 딴 것이다.

그러나 텍사스는 동부에서 떠나 온 미국 사람이 세운 나라였다. 또 멕시코와 국경을 접하고 있는 상태에서 독립국을 유지하기란 여러 가지로 불안정했다. 결국 텍사스도 1845년, 독립국

미국과 멕시코의 전쟁에서 미군이 멕시코 최후의 요새를 격파하는 모습

의 자리를 버리고 연방에 가입하여 미국의 한 주가 되었다.

또한 미국은 캘리포니아 지방을 차지하기 위해 다시 멕시코와 전쟁을 벌였다. 전쟁은 1846년에 일어났다. 멕시코가 이미 오래 전부터 전쟁을 준비했던 미국을 이기는 것은 불가능했다. 결국 캘리포니아는 텍사스보다 더 쉽게 미국의 차지가 되었다. 미국은 캘리포니아를 얻는 대가로 멕시코에 1,500만 달러를 주었다. 또한 오늘날 미국의 한 주인 뉴멕시코 지역도 미국의 차지가 되었다.

오리건 주는 원래 영국의 땅이었다. 영국 입장에서는 오리건 때문에 다시 미국과 전쟁을 할 여유가 없었다. 결국 미국은 오리건 주 남쪽을, 영국은 현재 캐나다 쪽인 오리건 주 북쪽을 나눠 갖는 것으로 협정을 맺었다. 오리건 역시 하나의 주로 미국 연방에 가입하였다.

캘리포니아로 몰려드는 사람들

골드 러시 : 1848~1852년

"아니, 이 반짝거리는 게 뭐지? 금이잖아!"

1848년, 캘리포니아에 있는 새크라멘토 계곡에서 한 사나이가 기쁨에 겨운 목소리로 외쳤다. 물 속에서 반짝이는 것은 분명 모래가 아니라 금모래, 즉 사금이었다.

그는 이 곳에 금이 있다는 사실을 누구에게도 알리지 않고 금이 깔린 그 땅을 사려고 했다. 그 사실을 아는 사람은 그의 가장 친한 친구뿐이었다. 그런데 금을 발견한 남자의 친구가 이 사실을 이야기하고 다녔고, 얼마 안 가 계곡에 금이 있다는 소문이 퍼지게 되었다. 금에 관한 소문은 캘리포니아는 물론, 미국 동부 지방까지 알려졌다. 결국 수많은 사람들이 일확 천금을 노리고 캘리포니아 지방으로 몰려들었다.

골드 러시 당시에 금을 캐러 떠나는 사람들

이렇게 해서 금 찾기 열풍, 즉 '골드 러시'가 시작되었다. 1848년부터 5년간 수많은 사람들이 마차를 타고 금이 난다는 캘리포니아 지방으로 몰려들었다. 이로 인해 캘리포니아 인구는 5년도 안 돼 20배가 늘어났다. 그 중에는 운 좋게 금을 발견하여 부자가 된 사람도 있었고, 오히려 알거지가 되어 고향으로 돌아간 사람도 있었다.

1849년, 금 노다지를 찾아 서부로 간 사람을 '49년 노다지꾼들(Forty-Niners)'이라고 불렀다. 현재 미국에서는 미식 축구가 매우 인기 있는 스포츠인데, 골드 러시 때의 이름을 딴 '포티 나이너스'라는 팀도 있다.

금을 찾아 나선 사람들은 캘리포니아에서 더 이상 금을 찾지 못하자 주변의 콜로라도, 샌프란시스코, 몬태나 지방으로 금을 찾아 떠났다. 그리하여 사람 하나 살지 않던 지역에 마을이 들어서고 가게가 생겼다. 심지어 어떤 사람들은 얼음으로 덮인 알

골드 러시에 의해 태어난 도시 샌프란시스코에 위치한 금문교

래스카 지방으로 금을 찾아 나서기도 하였다. 금 열풍은 약 50년간 미국 서부 지방을 떠들썩하게 만들었다. 덕분에 동부 지방보다 인구 수가 적었던 서부 지역에도 많은 사람들이 살게 되었다. 금문교라는 다리로 유명한 샌프란시스코는 골드 러시 속에 생겨난 도시다.

실리콘 밸리

미국의 캘리포니아 주에 있는 첨단 기술 연구 단지를 가리켜 '실리콘 밸리'라고 한다. 우수한 인재들이 이 곳에서 20세기 후반에 많은 벤처 기업을 세웠다.

일본에 나타난 검은 배

미국과 일본의 수교 : 1854년

두 나라가 외교 관계를 맺는 것을 '수교'라고 한다. 19세기 중반, 미국은 유럽 여러 나라와 수교를 맺었다. 미국은 이 때부터 태평양 너머에 있는 동양으로도 눈을 돌렸다.

미국은 특히 중국(청나라)에 주목했다. 그러나 오래 전에 힘이 약해진 청나라는 일본과 유럽의 강대국들이 이미 여러 곳을 점령해서 세력을 다투고 있었다. 미국은 중국 대신 일본의 문을 두드렸다.

다른 나라에 자기 나라를 개방하지 않는 정책을 '쇄국 정책'이라고 한다. 조선 시대 말에 나라를 다스렸던 고종의 아버지 흥선 대원군이 쇄국 정책을 편 것처럼, 19세기 중엽 일본도 쇄국 정책을 실시하고 있었다. 그러나 미국은 아시아의 중요한 길

페리 제독은 일본에 상륙하여 그들과 수교를 맺었다. 그림은 도쿄 국립 박물관에 소장되어 있는 〈페리 요코하마 상륙도〉.

목인 일본을 그냥 지나칠 수 없었다.

1853년, 미국의 페리 제독이 지휘하는 네 척의 배가 일본의 중심지인 에도 지역 바다에 나타났다. 검을 빛을 띤 그 배는 증기 기관으로 움직이기 때문에 무척 빨랐다. 배라고는 돛단배밖에 본 적이 없는 일본 사람들은 거대한 괴물을 본 것처럼 놀랐다. 페리 제독은 일본에게 미국과 외교 관계를 맺자고 제의했다. 일본은 제의를 거절하였고 미국의 배는 물러갔다.

1년 뒤, 페리 제독이 미국 해군을 이끌고 다시 일본에 왔을 때는 사정이 달랐다. 이번에는 검은 배가 일곱 척이나 되었다. 일본은 결국 정책을 바꿨다. 쇄국 정책을 버리고 미국과 외교 관계를 맺는다는 결정을 내린 것이다. 미―일 우호 조약에 따라 일본은 미국의 배를 위해 두 곳의 항구를 개방하였다.

조선에 온 최초의 미국인

최초로 조선에 온 미국인은 배가 난파를 당해 조선에 닿았던 미국 선원들이었다. 1855년, 강원도 해안에 도착한 미국 선원은 4명이었다. 그들은 고래잡이 배의 선원이었을 것으로 추측이 된다.

미국과 수교 관계를 맺은 것은 일본의 역사에 큰 영향을 끼쳤다. 서양인에게 개방을 하느냐 쇄국 정책을 펴느냐를 두고 갈등이 커진 일본에서는 내란이 일어났다. 결국 개방을 하자는 쪽이 승리하였다. 이 때부터 일본은 쇄국 정책을 버리고 미국은 물론 서양의 과학 기술을 적극 받아들이는 혁신 운동을 벌였다. 이 사건을 '메이지 유신'이라고 한다.

노예 해방 운동

미국 식민 협회 조직 : 1817년

19세기 전까지 미국에서 가장 많이 수출한 작물은 담배였다. 그런데 시간이 가면서 담배값이 크게 떨어지자, 옷을 만드는 재료인 면화가 그 자리를 차지했다. 면으로 만든 옷감은 세계적으로 인기를 끌었기 때문에 면화 농사를 잘 지으면 큰돈을 벌 수 있었다. 북부 지방에서 공장을 하던 상인들도 남부 지방의 면화 농사에 투자할 정도였다.

농장 주인들이 면화 농사를 많이 짓게 되면서 더욱 힘들어진 사람들이 있었다. 바로 농장에서 일하던 흑인 노예들이었다. 면화 농사는 담배에 비해 손이 많이 가는 농사였다. 면화의 송이를 따고 거기서 씨를 빼 내는 일은 아무리 열심히 해도 하루에 많은 양을 할 수가 없었기 때문이다. 그런데 농장 주인들은

더 많은 수확을 올리려고 노예를 밤늦게까지 일하게 하였다. 하지만 농장 주인이 돈을 많이 번다고 결코 흑인 노예의 신세가 나아지는 것은 아니었다.

면화 농사는 이제 흑인 노예들이 없으면 유지하는 게 불가능한 지경이 되었다. 따라서 백인들 사이에서 흑인 노예를 거래할 때 흑인 몸값도 올라갔다. 잔인한 농장주나 노예 상인들은 흑인의 몸에 인두로 낙인을 찍어 자기 소유물임을 표시하였다. 사람이 아닌 짐승 취급을 한 것이다.

면화를 따서 이것을 섬유로 만들어 수출하는 산업이 미국을 먹여 살리는 최대의 산업이 되자, 노예 제도의 폐지를 주장했던 사람들 중에서도 미국이 번영하기 위해 노예 제도는 불가피하다고 생각을 바꾸는 사람도 나타났다. 어떤 사람은 하느님이 노예의 표시로 피부색을 검게 해서 태어나게 한 것이라는 말도 안 되는 주장을 펴기도 했다.

그러나 흑인들도 인간이었다. 일부 흑인 노예들 중에는 하루 종일 농장에서 일해야 하고 때로는 가죽 채찍에 맞아야 하는 현실에 저항하는 사람들이 나타났다. 수십 명의 흑인들이 농장 주인에게 저항해서 반란을 일으키기도 했다. 그러나 사회적으로 아무 힘도 없고 또 집단적으로 세력을 키우기도 힘들었던 흑인들의 반란은 백인들의 총 앞에서 쉽게 진압이 되고 말았다.

그렇다면 노예 해방은 불가능한 것이었을까? 그렇지는 않았다. 희망의 불씨는 아직 남아 있었다. 인간은 누구나 신 앞에서 평등하다

아프리칸 아메리칸
흑인 인종을 가리키는 말인 '니그로'는 요즘에는 흑인을 낮춰 부르는 말로 통하기 때문에 사용하지 말아야 한다. 대신 아프리카 출신 미국인이란 뜻의 '아프리칸-아메리칸'이라고 부르는 것이 공손한 표현이다.

고 믿는 사람들이 꾸준히 노예 제도 폐지 운동을 벌여 나간 것이다. 또한 은밀하게 노예들을 해방시켜 주는 조직이 만들어지기도 했다. 그들은 농장을 탈출한 흑인 노예를 보호해서 노예 제도를 실시하지 않는 주까지 안전하게 이동시키는 일을 비밀리에 실시하기도 했다.

가장 적극적인 노예 해방 운동은 흑인들을 그들의 고향으로 돌려보내는 운동이었다. 1817년에 조직된 미국 식민 협회가 이 운동을 벌여 수만 명의 흑인 노예가 미국을 떠나 그들의 고향 아프리카로 건너갔다. 고향에 돌아온 흑인들은 그들만의 새로운 국가를 세웠는데 그 나라의 이름은 '라이베리아' 다.

그러나 백인들에게 보호를 받고 또 노예 신세를 면한 흑인들의 수는 많지 않았다. 더 많은 흑인들이 뜨거운 미국 남부 지방의 태양 아래에서 하루 종일 일을 해야 했다. 이 노예들이 완전히 해방이 되려면 아주 특별한 계기가 필요했다. 그런데 얼마 안 가서 그 계기는 찾아왔다. 그것은 바로 전쟁이었다.

노예 문제의 대충돌

링컨 대통령 당선 : 1860년

노예 제도를 반대하는 측과 찬성하는 측의 충돌은 마침내 수 많은 사람이 죽는 비극으로 이어졌다. 사건은 1856년 캔자스 라는 곳에서 일어났다.

사건이 일어난 배경은 인구가 급격히 증가한 오하이오 서쪽 땅을 캔자스와 네브래스카로 나누는 일에서 시작이 되었다. 이 두 고장에서는 주민 투표를 통해 노예 제도를 유지할 것인지 없 앨 것인지 결정하게 되었다.

노예 제도 옹호론자와 폐지론자들은 투표를 승리로 이끌기 위 해 치열한 대결을 벌였다. 노예 폐지론자들은 남부에 가까운 캔 자스 지방의 주민들을 선거에 대거 동원시키기까지 하였다. 투 표 결과는 노예 제도를 찬성하는 남부 주들의 승리로 끝났다.

노예 제도의 폐지를 주장한
미국 제16대 대통령 링컨

문제는 선거가 끝난 다음이었다. 선거에서 진 노예 폐지론자들은 상대방의 승리를 인정하지 않았다. 부정 선거였다는 주장이었다. 결국 노예 폐지론자들은 따로 캔자스에 주 정부를 세웠다. 하나의 주에 두 개의 주 정부가 들어서게 된 것이다.

이 과정에서 양측은 거리에서 충돌하기도 했다. 충돌 과정에서 200명이 넘는 사람이 죽음을 당했다. 노예 제도 폐지론자들이 먼저 노예 제도 찬성론자들을 공격하면 다음에는 찬성론자들이 보복 공격을 했다.

이 무렵 노예 제도 폐지론자의 지도자로 새롭게 등장한 인물이 있었다. 일리노이 출신의 변호사인 에이브러햄 링컨이었다. 링컨은 노예 제도 폐지를 주장하는 연설에서 이렇게 말했다.

"집이 분열되면 그 집은 결국 망하고 맙니다. 어떤 주는 노예 제도를 찬성하고 어떤 주는 노예 제도를 반대한다면 우리 조상들이 피흘려 세운 미국은 오래 갈 수 없습니다. 분열이냐,

생존이냐! 이제 우리는 태도를 분명하게 해야 합니다."

링컨의 말은 노예 제도 유지를 주장하는 남부의 주들에 대한 경고였다. 링컨은 국회 의원 선거에서 떨어졌지만 2년 뒤 공화당 지지자들의 큰 인기에 힘입어 공화당 대통령 후보로 나서 1860년 미국의 제16대 대통령으로 당선되었다.

링컨의 대통령 당선은 노예 제도를 찬성하는 남부 주들에게는 재앙이 되었다. 그도 그럴 것이 남부의 주들은 시간이 갈수록 북부 주에게 경제력에서 밀리고 있었다. 북부는 공장이 많고 상업 거래도 활발하였던 반면, 남부는 농업이 주력 산업이어서 북부만큼 빠르게 성장하지 못했던 것이다. 이민을 오는 사람들도 대부분 직업을 구하기 쉬운 북부 지방으로 몰렸다. 남부의 경제는 노예들을 부

노예제 폐지안 초고를 각료들에게 읽어 주는 링컨 대통령

려 농장을 유지하지 않으면 파탄이 날 지경이었다. 그런데 북부 주들의 지원을 받아 대통령이 된 링컨은 과거 어느 대통령보다 강하게 노예 제도 폐지를 주장하고 있지 않는가. 남부에서는 이 때야말로 북부 주들과 완전히 이별을 해야 할 때라고 생각하는 사람들이 많아졌다.

링컨이 당선되던 날, 마침내 대분열이 시작되었다. 1860년, 노예 제도 폐지를 강력하게 반대했던 사우스캐롤라이나 주 정부가 연방 탈퇴 선언을 한 것이다. 이것은 미국 정부를 구성하는 주에서 벗어나 독립적인 국가로 나서겠다는 의미였다.

사태는 갈수록 악화되었다. 사우스캐롤라이나에 이어 플로리다, 미시시피, 조지아, 루이지애나 등 노예 제도 폐지를 반대하는 주들이 연거푸 연방 탈퇴를 선언했다. 연방을 탈퇴한 주들은 따로 대통령을 뽑았고 새로운 헌법도 만들었다.

바람과 함께 사라지다
미국 작가가 쓴 소설 중 매우 유명한 작품이 〈바람과 함께 사라지다〉이다. 마가렛 미첼이란 작가가 쓴 이 소설은 남북 전쟁이 일어났을 때의 미국 남부 지방을 배경으로 하고 있다. (사진은 영화 〈바람과 함께 사라지다〉의 한 장면)

남북의 분열은 충격적인 일이었다. 인류 역사에서 이처럼 큰 나라가 이토록 짧은 시간에 급격하게 분리된 적은 없었다.

　　링컨은 노예 제도를 유지하더라도 연방이 분열되는 것만은 막으려고 했다. 그러나 협상에 의해 미국을 하나로 합치는 것은 이미 불가능한 상황이 되었다. 이 사태를 되돌리는 방법은 하나뿐이었다. 힘과 힘의 대결, 즉 전쟁이었다. 이렇게 해서 미국 역사의 최대 비극인 남북 전쟁이 시작되었다.

남북 전쟁의 시작

게티즈버그 전투 : 1863년

"남부의 연방 탈퇴는 반란입니다."

링컨은 대통령 취임 연설에서 단호하게 말했다.

그러나 남부 사람들은 링컨의 경고에 귀 기울이기는커녕 더욱 분노하였다. 그리고 1861년, 남부의 주들이 모인 군대인 남부 연합군은 연방군이 머물던 요새를 공격했다. 남북 전쟁이 시작된 것이다.

섬터 요새에 폭격을 하고 있는 남부인들. 이는 남북 전쟁의 시작을 알리는 것이었다.

연방을 탈퇴한 사우스캐롤라이나 주에는 연방군이 머무는 섬터 요새란 곳이 있었다. 남부 연합군은 요새에 거주하던 연방군에게 남부에서 물러날 것을 요구했다. 연방군은 이 요구를 거절했고, 남부 연합은 섬터 요새에 기습 공격을 가했다. 링컨은 부랴부랴 7만 명이 넘는 병력을 조직해 남부 연합에 맞섰다.

워싱턴 링컨 기념관에 있는 링컨 조각상. 조각상 뒤에는 역사적으로 유명한 게티즈버그 연설문이 새겨져 있다.

이 때까지만 해도 남부 연합에 가입하지 않은 주가 있었다. 아칸소, 노스캐롤라이나 같은 주들이었다. 이 주들은 전쟁이 터지자 재빨리 남부 연합에 가입하여 연방에 맞섰다. 반대로 켄터키 주와 미주리 주 같은 곳은 연방에 그대로 남았다.

남부 연합의 수도는 버지니아 주에 있는 리치먼드라는 도시였다. 링컨은 북군에게 리치먼드 공격을 준비하도록 했다. 그러

나 남군은 남군대로 연방의 수도인 워싱턴을 향해 공격을 시작
했다. 첫 전투에서의 승리는 남군의 차지가 되었다.

한편 1862년, 링컨은 노예 해방 선언을 했다. 이제 미국 어디에서도 노예는 더 이상 노예가 아닌, 자유인이라는 선언이었다.

북군이 승리하려면 남부 연합의 수도인 리치먼드를 정복해야 했다. 링컨은 리치먼드 공격을 명령했다. 그런데 이 무렵 남군에는 아주 빼어난 장군이 군대를 지휘하고

남북 전쟁 당시 최대의 격전지인 게티즈버그.
게티즈버그 전투에서 전세를 역전시킨 북군은 남북 전쟁을 승리로 이끌었다.

있었다. 그 사람은 리 장군이었다. 리 장군이 이끄는 남군은 리
치먼드 근처까지 내려온 북군을 크게 무찔렀다.

1863년, 당시 남군과 북군은 두 개의 전선에서 대결하고 있었다. 리치먼드와 워싱턴을 잇는 동부 전선과 미시시피 강을 중심으로 한 서부 전선이었다. 남군은 동부 전선에서 리 장군의 지휘에 힘입어 북군과 대등한 대결을 할 수 있었다.

문제는 서부 전선이었다. 시간이 갈수록 서부 전선의 남군은 북군에 밀렸다. 특히 빅스버그에서 벌어진 전투에서 북군이 승리하면서 전세는 급격하게 북군 쪽으로 기울었다.

동부 전선의 북군은 북쪽에서 남군을 위협했다. 또한 서부 전선에서 승리한 북군은 아래 남쪽에서 남군을 위협했다. 이제 남군은 위, 아래에서 북군으로부터 협공을 당하는 처지가 되고 말았다.

리 장군은 불리한 상황

남부군의 리 장군(오른쪽)에게 항복을 받고 있는 북부군의 그랜트 장군(왼쪽)

에서 승리하려면 연방의 수도인 워싱턴을 차지하는 수밖에 없다고 생각했다. 리 장군은 리치먼드를 지키던 모든 군대를 동원해 워싱턴을 공격하기로 결심했다.

남군과 북군이 마주친 곳은 게티즈버그의 평원이었다. 이 때 남군 병사의 수는 7만 5,000명, 북군은 10만 명이었다. 남군은 참호를 파고 남군이 공격하기를 기다리는 북군을 향해 공격을 시작했다.

이틀 간에 걸친 전투의 결과는 비참했다.

링컨의 노예 해방 선언에 기뻐하고 있는 북부인들

이 전투에서 남군과 북군 모두 합쳐 5만여 명의 병사가 죽거나 부상을 당했다. 그리고 전쟁의 결과는 수적으로 앞섰던 북군의 승리로 돌아갔다. 게티즈버그 전투는 남북 전쟁의 승패를 판가름한 결정적인 전투였던 것이다.

1865년, 북군은 남부 연합의 수도인 리치먼드를 함락시켜 4

년간에 걸친 전쟁을 끝냈다. 그러나 이를 위해 치른 대가는 엄청난 것이었다. 4년간의 전쟁에서 죽은 사람은 약 60만 명에 이르렀다.

수많은 병사들이 죽은 게티즈버그에는 병사들의 넋을 기리는 충혼탑이 세워졌다. 충혼탑이 세워지던 날, 링컨은 역사에 길이 남을 유명한 연설을 했다.

"우리가 여기서 숨진 병사들의 죽음을 헛되이 하지 않으려면 우리는 미국을 하나님의 뜻으로 세운, 자유의 나라로 새로 탄생시켜야 합니다. 국민의, 국민에 의한, 국민을 위한 정부가 절대 이 땅에서 사라지지 않게 해야 합니다."

공포의 이름 KKK

전쟁에 진 남부 사람들 중에는 남부 백인들의 지배권을
유지하기 위해 비밀 결사 조직을 만든 사람들이 있었다.
대표적인 조직이 1866년에 만들어진 'KKK단'이다. 라틴어로
'비밀 결사 조직'이란 뜻의 KKK단은 얼굴을 항상 흰 두건으로
가린 채 흑인들을 위협했다. 이들의 행동은 갈수록 대담해져
흑인들을 때리고 그들의 집에 불을 지르는가 하면 그들을 몰래
죽이기도 하였다. 또 흑인을 돕는 백인들에게 테러를 가하기도

하였다.

1870년, KKK단의 세력은 남부 지방의 정치를 좌지우지할
정도로 더욱 강해졌다. 연방 정부는 군대를 파견해서 KKK단을
해산시키려고 했지만 비밀 조직으로 이루어진 KKK단을 쉽게
없앨 수는 없었다.

KKK단의 전성기는 20세기 초였다. 테러에 가담하지는 않아도
단원으로 가입한 사람이 400만 명이 넘었다. 이 때 KKK단은
백인들의 힘을 과시한다면서 모든 사람이 흰 두건을 쓰고
워싱턴 거리를 행진하며 시위를 벌이기도 하였다.

그러나 남북 전쟁의 상처가 어느 정도 아물고, 인권 운동이
활발해지며 KKK단의 간부가 구속이 되는 등 여러 일을
겪으면서 KKK단의 세력은 점차 약해졌다. 그러나 KKK단은
1960년대까지도 흑인들에게는 공포의 대상이었다.

링컨 대통령의 죽음

전쟁 이후 남과 북의 사이는 더욱 나빠졌다. 비록 전쟁에는 졌지만 남부 사람들은 패배를 인정하려 하지 않았다. 다시 기회가 온다면 연방을 공격할 생각을 하는 사람도 많았다.

전쟁에 이기기는 했지만 링컨은 전쟁 전 못지않게 괴로웠다. 남과 북의 적대감이 너무나 심해져서 도저히 화해가 불가능해 보였던 것이다. 링컨은 대통령에 두 번째 당선이 된 뒤 연설에서 남북의 화합을 호소했다. 서로를 미워하지 말고 마음의 상처를 치료하자고 했던 것이다.

그는 전쟁에서 이긴 뒤 남부의 주들이 다시 연방에 가입할 경우, 어떤 불이익도 주지 않겠다고 선언했다. 주민 투표를 해서 주민의 10%만 연방 가입에 찬성해도 연방에 다시 가입할 수 있도록 하였다. 이런 조치는 링컨이 남북 통합을 위해 얼마나 노력하였는가를 보여 주는 하나의 예다.

링컨이 존 부스에게 저격당한 포드 극장

이 연설을 한 3일 뒤 링컨은 모처럼 시간을 내서 백악관 부근의 극장에 연극 구경을 갔다. 링컨이 한창 연극을 보고 있을 때였다.

탕! 탕!

난데없이 총 소리가 극장 안에 울려 퍼졌다. 총을 쏜 사람은 연극 배우인 존 부스라는 사람이었다. 그는 남부 연합의 열렬한 지지자로, 남군으로 전쟁에 참여했던 인물이다.

그는 총을 쏜 뒤 '독재자는 죽었다! 남부 만세!'라고 소리를 지르며 극장을 빠져 나갔다. 총을 맞은 링컨은 다음 날 새벽 숨을 거두고 말았다.

남북 전쟁이라는 큰 희생을 치르기는 했지만 마침내 노예 제도를 폐지한 위대한 정치가가 세상을 떠난 것이다. 링컨을 죽이고 도망쳤던 존 부스는 10일 뒤 그를 쫓는 추격대에 의해 사살되었다.

링컨이 죽은 뒤에도 남과 북은 잘 협력하지 못했다. 과거 농

대통령 암살 사건

미국 대통령 중에는 암살범의 총에 맞아 사망한 대통령이 있다. 바로 링컨 대통령과 케네디 대통령이다. 또한 루스벨트 대통령과 레이건 대통령도 총에 맞았지만 다행히 목숨을 건질 수 있었다.

장을 운영하며 부유하게 살았던 남부 사람들 중에는 전쟁으로 전 재산을 잃은 사람도 많았다. 폐허가 된 남부 지방을 재건하는 데는 많은 돈이 들어갔다.

그나마 다행이었던 것은 전쟁이 끝난 뒤 미국의 경제가 빠르게 성장했다는 점이다. 또 전쟁으로 지치고 희망을 잃은 사람들은 서부로 가서 새로운 인생을 개척할 수 있었다. 사람들은 전쟁의 상처를 조금씩 회복하기 시작했다. 남부의 반란을 막기 위해 10년 넘게 남부를 지배했던 연방 군대도 철수하였다. 그렇게 평화는 다시 찾아오고 있었다.

4

세계로 뻗어 가는
미국 제국주의

- 대륙 횡단 철도 완공
- 셔먼 독점 금지법
- 알래스카 매입
- 파나마 운하 완공

미국 동부와 서부가 만나다

대륙 횡단 철도 완공 : 1869년

서울과 부산을 직선으로 이으면 몇 km가 될까? 약 392km 다. 우리 나라도 서울과 부산을 잇는 경부 고속 도로를 건설할 때 무척 많은 시간이 걸렸다. 그런데 미국은 동쪽과 서쪽의 거리가 무려 4,500km다. 서울—부산 거리의 10배가 훨씬 넘는 것이다. 이처럼 미국의 동과 서를 연결하는 열차, 즉 대륙 횡단 열차를 건설하는 것은 쉬운 일이 아니었다.

19세기부터 시작된 서부 개척 당시, 서부로 가는 사람은 대부분 마차나 말을 타고 가야 했다. 미국 정부로서는 서부 개척을 원활하게 하려면 보다 빨리 미국 동부와 서부를 이어 줄 길이 필요했다. 가장 효과적인 방법은 철도였다.

대륙 횡단 철도 공사는 1865년에 시작되었다. 새로 건설해야 하는 철도의 총 길이는 약 3,000km였다.

철도 건설에는 어려움이 많았다. 건설 기술, 공업 기술이 지금보다 발달하지 않았기 때문에 무척 오랜 시간이 걸렸던 것이다. 인부를 구하는 것도 문제였다. 싼 임금을 주고 노동자를 동원하려면 더 많은 이민자들을 받아들여야 했다. 또 하나의 문제는 건설 자금, 즉 돈을 마련하는 문제였다.

1869년 대륙 횡단 철도 완공 현장 모습

이에 연방 정부는 철도 주변의 땅을 무료로 주는 조건으로 투자자를 모았다. 또 유니온 퍼시픽과 센트럴 퍼시픽 두 회사를 철도 건설을 담당할 사업자로 선정하였다. 센트럴 퍼시픽은 태평양 쪽 지역인 캘리포니아에서 공사를 시작하였고, 유니온 퍼시픽은 대서양에 가까운 아이오와 지역에서 철도 공사를 시작했다.

철도 건설에는 수많은 사람들이 동원이 되었다. 남북 전쟁에 참가한 군인들도 제대하여 공사장에서 돈을 벌었다. 가난을 피해 유럽에서 미국으로 이민 온 수많은 사람들도 건설에 참여했다. 이들 못지않게 큰 역할을 한 사람들은 미국인들이 '쿨리'라고 불렀던 중국 사람들이었다. 그들 역시 가난에서 벗어나기 위해 태평양을 건너 미국으로 온 사람들이었는데 중국 사람들은 백인들과 비교해 터무니없이 적은 돈을 받고 철도 건설에 동원되었다.

양쪽에서 건설한 철도가 미국 대륙의 중간 지점에서 만난 것은 공사를 시작한 지 5년 뒤였다. 철도가 완성되자 캘리포니아 지방에서 출발한 열차는 6일 반나절 만에 뉴욕에 도착할 수 있었다. 말을 타고 몇 달을 달려 도착하던 것에 비하면 엄청난 시간 단축이 이루어진 것이다.

처음 대륙을 횡단한 열차는 장작을 지펴서 증기 터빈을 돌리는 방식으로 움직였다. 그런데 얼마 안 가 열차는 장작보다 화력이 좋은 석탄을 동력으로 사용하게 되었다.

대륙 횡단 철도가 만들어진 뒤 크고 작은 철도들이 계속 건설되면서 미국은 그 어느 나라보다 빠르고 편리한 교통망을 갖추게 되었다. 철도의 발달은 사람과 물건의 이동을 쉽고 빠르게 해 주어서 미국의 공업 발전을 앞당기는 커다란 계기가 되었다.

두 얼굴의 기업가들

한 나라의 경제가 빠르게 발전하면 그 기회를 잘 이용해서 큰 돈을 버는 사람이 나타나게 마련이다. 우리 나라의 경우도 1970년대 빠른 속도로 경제 성장을 할 때 수많은 기업이 재벌 기업으로 성장한 적이 있다. 미국도 마찬가지였다.

미국에서 억만 장자 자본가가 나타난 것은 19세기 후반이다. 대표적인 사람이 철강왕이라고 불렸던 앤드루 카네기였다. 카네기는 스코틀랜드에서 태어나 미국으로 건너온 이민자였다. 처음에 그는 전보 배달원 등을 하면서 돈을 모았다. 그에게는 미래를 내다보고 가장 효과적으로 투자를 할 줄 아는 재능이 있었다. 그는 부자들을 설득해서 돈을 모아 제철 공장을 세웠다.

당시 미국은 섬유 산업과 제철 산업이 빠르게 발전하던 때였

철강왕이라고 불렸던 카네기의 모습(위)과 그의 이름을 딴 뉴욕의 연주회장 카네기 홀(아래)

다. 카네기가 세운 제철 공장도 덩달아 빠르게 성장하였고, 회사를 세운 지 20년 만에 카네기는 미국의 제철 산업을 지배하는 기업가로 성장하였다.

그는 무척 대담한 기업가였다. 자신의 공장에서 만든 철제품을 빨리 운송하기 위해 카네기 공장 전용 철도를 건설하기도 했다. 한편 그는 인정 사정 없는 기업가이기도 했다. 다른 기업이 제철 사업에 뛰어드는 것을 막기 위해 정치인들을 매수하기도 했고, 노동자들이 임금을 올려 달라고 요구하자 갖은 방법을 다 동원하여 노동자들을 탄압했다.

그는 기업가이자 사회 사업가이기도 했다. 그가 기업 활동을 그만둔 것은 1901년이었다. 자신의 회사를 팔았을 때 그에게는 2억 달러가 넘는 돈이 남아 있었는데, 이 돈을 교육 사업과 사회 사업에 사용했다. 그는 두 얼굴의 기업가였던 것이다.

카네기 못지않게 유명한 기업가로는 석유왕 록펠러와 자동

석유왕 록펠러

차왕 포드를 들 수 있다. 1863년 석유 사업에 뛰어든 록펠러는 다른 회사를 인수하고 합병하는 등 공격적인 경영을 통해 미국 최대의 석유 재벌이 되었다. 록펠러도 카네기처럼 기업 활동을 하면서 여러 불법적인 방법으로 기업을 키워 많은 비난을 받았다. 그러나 사업을 그만둔 뒤에는 시카고 대학에 6,000만 달러를 기부하는 등 사회 사업에 앞장 섰다.

포드는 20세기 초에 크게 활약했던 기업가다. 기술자 출신인 그는 1903년 포드 자동차 회사를 설립해서 자동차 산업 발달을 이끌었다.

특히 그는 자동차를 만드는 작업을 수많은 과정으로 나누어서 한 사람이 한 가지 일만 하는 분업 시스템을 만들어 생산량을 크게 향상시켰다. 이것을 '포드 시스템'이라고 불렀다.

미국의 석유 매장량
현재 미국의 석유 매장량은 세계 총 매장량의 3% 수준이다. 그런데 미국은 세계에서 석유를 가장 많이 사용하는 나라다. 미국이 석유 매장량이 많은 이라크와 전쟁을 한 것은 석유를 안정적으로 확보하기 위한 목적도 있었다.

자동차왕 포드

포드 시스템 덕택으로 기술이 없는 사람도 공장에서 자동차를 만드는 일에 참여할 수 있었다. 이런 방법을 통해 포드 자동차 회사는 이미 20세기 초에 자동차를 매우 빠른 속도로 생산할 수 있게 되었다. 헨리 포드가 세운 포드 자동차 회사는 아직도 미국을 대표하는 자동차 기업으로 존재하고 있다.

독점 기업의 횡포

셔먼 독점 금지법 : 1890년

오늘날 세계 대부분의 나라는 자본주의 국가다. 19세기를 거치면서 자본주의가 가장 빠르게 발전한 나라가 미국인데, 빈부 격차 등 자본주의의 모순이 가장 먼저 나타난 나라도 미국이다.

자본주의의 문제점 가운데 하나는 기업들이 보다 많은 이익을 얻기 위해 수단과 방법을 가리지 않을 가능성이 크다는 점이다. 독점 문제도 그 중 하나다.

경제에서 독점이란 어떤 기업이나 자본이 시장을 일방적으로 지배하는 현상을 말한다. 시장을 독점한 기업은 경쟁자가 없기 때문에 자기들 마음대로 상품 가격을 높여서 더 큰 이익을 얻을 수 있다. 일반 소비자들은 경쟁하는 기업이 많을 때는 좀더 싼 가격에 상품을 살 수 있지만, 독점 상태에서는 독점 기업이 상품 가격을 올려도 경쟁 기업이 없기 때문에 어쩔 수 없이 그 상품을 사야만 한다.

19세기 후반부터 미국에서는 급속한 경제 발전에 따라 이러한 독점 문제가 나타났다. 독점 기업이 되어 큰 이익을 올린 대표적인 기업은 록펠러가 세운 스탠더드 석유 회사였다.

석유 사업에 성공한 록펠러는 여러 회사들을 사들였다. 그는 경쟁 회사에 산업 스파이를 보내서 정보를 빼 오게 하거나 정치인에게 뇌물을 주어 경쟁 회사의 사업을 방해하였다. 결국 록펠

러의 석유 회사는 19세기 말에 미국의 석유 산업에서 독점적인 위치를 확보하였다. 그러나 소비자들은 경쟁 기업이 있던 때보다 더 비싼 가격에 석유를 사야 했다.

록펠러에 이어 과자 회사, 담배 회사를 경영하는 기업가들도 같은 수단을 써서 독점적인 지위를 차지했다. 그러자 소비자의 불만은 점점 높아졌고, 기업 독점을 반대하는 정치 단체도 만들어졌다. 비난 여론이 높아지자 정부도 독점 기업 문제를 그대로 내버려 둘 수 없었다. 그래서 제정한 것이 1890년 '셔먼 독점 금지법'이었다.

그러나 독점을 금지하는 법이 만들어진 뒤에도 독점 문제는 쉽게 해결되지 않았다. 기업가들은 머리 좋은 변호사를 고용해서 교묘하게 법망을 빠져 나가며 독점 상태를 유지하려고 했다. 그 때마다 미국 정부는 또 다른 독점법을 만들어 기업가의 탐욕에 맞서야 했다. 자본주의가 발달하면서 시장을 독점하려는 기업 활동은 세계적인 현상이 되고 말았다.

미국의 발전을 앞당긴 발명품들

미국인 특유의 개척 정신은 새로운 기술이나 제품을 개발하는
일에서도 다른 나라보다 높은 성과를 보였다. 특히 남북 전쟁이
끝나고 정치적인 안정을 되찾은 19세기 후반에는 수많은
제품들이 발명되어 미국의 경제 발전을 이끌었다.

이 시대의 대표적인 발명품으로 우선 1876년 벨이 발명한
전화기를 들 수 있다. 발명왕으로 유명한 에디슨은 축음기와
백열등을 발명하였다. 현대적인 사진기도 미국에서
발명되었는데 이스트먼이란 사람이 1888년 사진기를 발명한
것이다.

이 시기, 또 하나의 위대한 발명품이 탄생했다. 라이트 형제가
만든 비행기였다. 라이트 형제가 자신들이 만든 비행기로 최초
비행에 성공한 것은 1903년이었다. 그들이 만든 비행기는 12초
동안 36m를 나는 데 성공하였다. 라이트 형제의 비행기는 당장
상업용으로 이용할 수는 없었지만 이제 하늘을 날며 사람을
실어 나르는 새로운 교통 수단, 비행기가 탄생하는 것은 시간
문제였다.

또 이 시기에는 농업 기계들도 많이 발명되었다. 그 결과, 미국은 공업뿐만 아니라 농업 분야에서도 선진국으로 발돋움할 수 있었다. 그러나 빠른 경제 성장에는 부작용도 따랐다. 당시에는 노동자들의 권리가 지금처럼 보장을 받지 못했다. 공장 주인들은 싼 임금을 주고 일을 시킬 수 있는 여성이나 어린 노동자를 고용해서 하루 10시간 이상 일을 시켰다. 미국 정부도 국가 경제를 위한다는 명목으로 이런 비인간적인 행동을 한동안 못 본 체했다.

미국 도시 속의
빛과 그림자

마천루의 등장 : 19세기 말

102층 381m 높이의 엠파이어 스테이트 빌딩은 1931년에 세워져 지금도 뉴욕을 상징하는 건물이 되고 있다.

엠파이어 스테이트 빌딩처럼 대도시에서 사무실로 쓰는 초고층 빌딩을 '마천루'라고 한다. 미국의 대도시에 마천루가 생긴 것은 몇 가지 목적이 있었다.

우선 도시의 땅이 좁기 때문에 건물의 층수를 높여 좁은 땅을 최대한으로 활용하기 위해서다. 그런데 미국의 경우 19세기 말부터 마천루가 생겨난 데에는 또 다른 이유가 있었다. 도시의 모습을 현대적으로 단장하기 위해서다.

19세기 미국 도시는 매우 지저분한 공간이었다. 당시 도시에 살던 사람들의 과반수는 외국에서 이민을 온 사람과 그들이 낳

은 아이들이었다. 이
민자들은 빠른 시간
안에 경제적인 기반을
잡기가 힘들기 때문에
대부분 방값이 싼 도
시의 뒷골목에서 살아
야 했다. 이런 이민자
들은 소득이 낮았고
또 교육을 제대로 받
지 못했으며 병원 시
설을 이용할 여유도
없었다.

처음에 도시를 건설
하고 좋은 집에 살던
부자들은 점점 불만이
쌓여 갔다. 그들 중에
는 '점점 도시가 불결
해지는군. 이럴 바에

뉴욕 시에 있는 102층짜리 건물인 엠파이어 스테이트
빌딩은 뉴욕을 상징하는 건물로 86층과 102층에 전망대가
있다.

야 차라리 도시를 떠나 사는 게 낫겠어.'라고 생각하는 사람이

많아졌다.

도시에 '슬럼'이라고 부르는 빈민 동네가 늘어나자 부자들은 도시 외곽에 집을 지어 도시를 떠났다. 그들은 일을 하거나 쇼핑을 할 때만 자동차를 타고 도시로 들어왔다. 이런 사람들이 늘어나자 도시는 점점 더 더러운 공간이 되었다.

연방 정부는 도시가 계속 황폐해지는 것을 그냥 두고 볼 수 없었다. 그리하여 거리를 깨끗하게 포장하고 상하수도를 새로 만들었다. 그러나 그것만으로는 한계가 있었다. 그래서 19세기 후반부터 현

미국에서 고층 빌딩이 가장 밀집한 곳이며
상업과 금융의 중심지인 맨해튼

대적이고 깔끔한 초고층 빌딩을 세워 도시를 정비하기 시작했다. 엠파이어 스테이트 빌딩이 건설되기 훨씬 전인 1890년부터 미국의 도시에는 고층 빌딩들이 하나 둘 들어서기 시작했다.

그러나 도시의 슬럼 문제는 완전히 개선되지 않았다. 지금도 미국의 도시에는 슬럼들이 존재하며 슬럼은 범죄율이 높아 대낮에도 혼자서 다니기 무서울 정도다. 또 뉴욕 같은 대도시에는 흑인들의 슬럼, 남아메리카에서 이민 온 사람들이 모여 사는 슬럼 등 민족이나 인종별로 모여 사는 슬럼이 있다.

식민지 개척에 나선 미국

알래스카 매입 : 1867년

과거 영국의 식민지였던 미국은 19세기 후반부터 세계 여러 나라로 진출해 본격적으로 세력을 넓혀 나가기 시작했다.

미국이 다른 나라 일에 간섭하지 않는다는 먼로주의를 포기하고 해외 진출을 서두른 것은 산업의 발달 때문이었다. 그 무렵 미국은 산업이 발달하면서 공장에서는 미국 국민이 다 쓰고도 남을 상품들이 생산되었다. 농기계의 발달로 생산량이 크게 늘어난 농업도 마찬가지였다.

미국은 자기 나라 경제를 지속적으로 발전시키기 위해서 적극적으로 해외 시장을 개척해야 했다. 또한 보다 높은 이익을 얻기 바라는 자본가들은 해외에 투자할 곳을 열심히 찾았다. 이런 요구들이 맞물리자 미국은 군사력을 앞세워 해외로 적극 진출하기 시작했다.

미국은 먼저 베링 해를 사이에 두고 아시아와 마주 보고 있는 알래스카를 자기들의 영토로 만들었다. 원래 알래스카는 러시아의 땅이었다. 알래스카에 러시아 사람은 거의 살지 않았지만, 미국은 유럽의 강대국 러시아의 땅이 미

원유 매장량이 96억 배럴로 추정되는 미국 알래스카 주의 노스슬로프 유전

국 가까운 곳에 있다는 것이 마음에 걸렸다. 그래서 때마침 재정이 궁핍했던 러시아와 협상을 벌여 1867년에 알래스카 땅을 사들였다.

아메리카 대륙에서도 미국의 영향력은 더욱 커져 갔다. 남북 전쟁 때 프랑스 군대가 멕시코 지역을 지배한 적이 있었는데, 전쟁이 끝난 뒤 미국은 프랑스에게 멕시코에서 물러날 것을 요구했다. 미국은 이미 그 어느 나라도 넘볼 수 없는 강대국이 된 것이다. 해군의 경우만 해도 미국은 세계 최고의 군사를 보유하고 있었다. 결국 프랑스는 저항도 해 보지 못하고 멕시코에서 군대를 철수해야 했다.

미국은 해외에 식민지도 만들었다. 서인도 제도에 있는 섬나

라 쿠바는 19세기 스페인의 식민지였다. 그런데 1898년, 쿠바 근처의 바다에서 미국의 군함이 원인 모를 폭발로 침몰하는 사고가 발생했다.

미국의 몇몇 신문사들은 이것이 스페인의 짓이라고 주장했고 국민들도 덩달아 그렇게 믿게 되었다. 여러 언론들은 당장 전쟁을 하자고 주장했다.

"우리는 스페인의 지배를 받는 쿠바의 독립과 자유를 위해 군대를 보내겠다!"

1898년, 미국은 쿠바의 해방을 구실로 스페인에게 전쟁을 선포하였다.

미국은 당시 아시아 진출에도 열심이었는데 스페인이 지배하던 섬나라 필리핀에도 눈독을 들이고 있었다. 스페인에게 전쟁을 선포한 뒤 미국은 쿠바 대신 아시아에서 스페인이 지배하던 섬나라 필리핀을 향해 군함을 몰고 갔다.

미국은 필리핀의 독립 운동가들에게 스페인의 지배로부터 필리핀을 해방시켜 주겠다고 약속했다. 그러나 스페인을 몰아 낸 미국은 그 약속을 지키지 않았다. 필리핀 독립 운동가들이 미국에 저항해서 싸웠지만 미국은 그들을 물리치고 필리핀을 점령하였다.

하와이는 1898년에 미국의 영토가 되었다. 사진은 하와이 와이키키 해변의 모습.

필리핀에 이어 미국은 태평양에 있는 섬인 괌도 차지했다. 이어 스페인이 지배하던 푸에르토리코도 차지했다. 얼마 안 가 쿠바도 미국의 차지가 되었다. 한때 아메리카 대륙의 절대 강자였던 스페인은 당시 이빨 빠진 호랑이 신세였기 때문에 미국의 상대가 될 수 없었다. 1898년에 미국은 태평양 한가운데에 있는 섬 하와이도 미국 영토로 만들었다. 이전부터 미국의 기업가들은 하와이의 사탕수수 농장에 투자를 했고, 하와이에서 수입하는 설탕에 대해서는 관세를 물리지 않았다.

미국 자치령

괌은 현재 미국의 주가
아니라 미국 자치령이다.
자치령이란, 한 나라에서
매우 큰 자치권이 보장이
되는 곳을 가리킨다.
자치령은 독립성을 가지지만
외교 문제는 본국의 허락을
받아야 한다.

그런데 국회에서 관세를 물리는 법이 통과되자 하와이를 다스리던 왕이 하와이에 사는 미국인의 정치적인 자유를 박탈하는 조치를 취했다. 미국은 이것을 구실로 하와이 국왕을 몰아내고 하와이 섬을 미국 영토로 만들어 버렸다.

이 외에 미국은 남태평양에 있는 사모아 섬을 독일과 나눠 가졌다. 이로써 미국의 영토는 태평양에 있는 섬나라까지 이르게 되었다. 20세기가 되면서 미국인들에게 이제 태평양은 미국의 앞마당처럼 느껴지게 되었다.

태평양과 대서양이 만나다

파나마 운하 완공 : 1914년

19세기까지 태평양과 대서양은 중앙 아메리카 대륙에 의해 가로막혀 있었다. 태평양에 접한 미국의 항구에서 배를 타고 대서양으로 가려면 미국 해안—멕시코 해안—칠레 해안—남극 해안을 돌아가야 했다. 실제 쿠바를 차지하기 위해 스페인과 전쟁을 벌일 때 미국의 태평양 군사 기지에 있던 배는 남아메리카 대륙을 돌아서 가기도 했다.

이 문제를 해결하는 방법은 간단했다. 태평양과 대서양을 잇는 운하를 개발하면 된다. 아메리카 대륙 중 멕시코 아래 중앙 아메리카의 파나마 지역이 태평양과 대서양의 거리가 가장 가깝다. 따라서 이 곳에 배가 다닐 수 있는 인공 물길, 즉 운하를 만들면 되는 것이다.

수에즈 운하를 통해
지중해로 향하고 있는 상선

가장 먼저 이 곳에 운하를 건설할 계획을 세운 나라는 영국이었다. 영국은 이미 이집트에서 지중해와 홍해를 연결하는 수에즈 운하를 건설한 적이 있었다. 파나마 운하의 지배권을 차지하게 될 경우 영국은 경제적, 군사적으로 큰 이익을 얻을 수 있었다.

미국이 파나마 운하를 탐낼 무렵, 영국은 남아프리카를 차지하기 위해 현지 주민들과 전쟁(보어 전쟁)을 치르고 있었다. 이 틈을 타 1901년, 미국은 영국으로부터 자신들이 운하를 건설할 수 있도록 허락을 받았다.

보어 전쟁에서 영국군 기병이
진군하는 그림(왼쪽)과 보어인
정찰대(오른쪽)

그러나 더 큰 문제는 운하가 지나갈 자리를 차지하고 있는 콜롬비아의 허락이었다. 미국은 콜롬비아에게 운하를 건설할 경우, 양쪽으로 10km의 땅이 필요하다며 이 땅에 대한 보상비로 1,000만 달러 그리고 매년 25만 달러를 주겠다고 제안했다. 콜롬비아는 땅 보상 가격이 너무 낮다며 이것을 거절했다.

그런데 1903년, 운하가 지날 지점인 파나마 지역에서 콜롬비아의 독재 정치에 저항하는 반란이 일어났다. 반란군의 지도자는 미국측에게 반란을 지원해 줄 경우 운하 건설에 아무런 문제가 없도록 해 주겠다고 약속했다.

미국은 망설이지 않았다. 즉각 파나마에 군대를 보내 반란군을 진압하러 온 콜롬비아 군을 막아 냈다. 미국의 도움으로 콜롬비아 진압군을 물리친 반란군은 즉각 파나마 정부를 세웠다.

미국은 새로운 독립 국가 파나마에 1,000만 달러를 주는 조건으로 운하 건설을 시작하였

세계 경찰 국가

오늘날 미국은 세계 여러 곳에 분쟁이 일어날 경우 평화 유지를 목적으로 자주 다른 나라 일에 간섭을 한다. 그래서 미국을 '세계 경찰 국가'로 부른다. 그러나 미국이 다른 나라 일에 개입하는 것은 미국의 국가 이익을 위해서다.

파나마 운하의 미라플로레스 갑문

다. 이것은 과거 콜롬비아에게 제시한 것보다 5km가 더 넓은 운하 양쪽 15km 땅에 대한 보상이었다. 결국 7년 뒤 미국은 파나마 운하를 완공하였고, 미국은 약속한 대로 모든 나라 배들이 이 운하를 통과하도록 하였다.

그러나 미국 외에는 어떤 나라도 전략적 요충지인 이 곳에 군함을 끌고 올 수는 없었다.

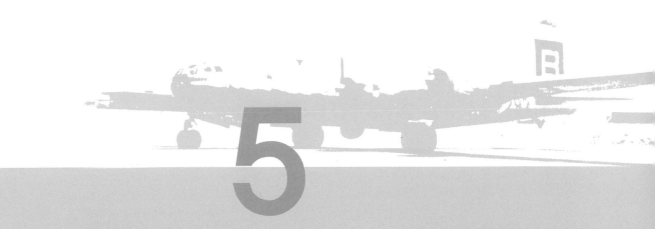

5

20세기
최강대국을 이룬
미국

제1차 세계 대전에 참전한 미국

제1차 세계 대전 발발 : 1914년

1914년, 유럽에서는 인류 역사상 가장 큰 규모의 전쟁이 일어났다. 독일─오스트리아 세력과 영국─프랑스 세력이 맞붙은 제1차 세계 대전이다. 유럽의 수많은 나라들이 독일 편 혹은 영국 편에 서서 상대편을 향해 총부리를 겨누었다.

이 때, 미국의 대통령은 우드로 윌슨이었다. 윌슨은 말했다. "우리 미국은 과거 먼로 대통령이 말했던 것처럼 유럽의 분쟁에 개입하지 않을 것입니다. 다시 말해 우리는 중립입니다."

사실 윌슨은 전쟁을 싫어하는 지도자였다. 그러나 이미 미국은 자기 나라의 이익을 위해 그전에 쿠바, 필리핀을 점령하는 등 먼로주의를 스스로 깨뜨린 적이 많았다. 더구나 미국의 기업가들 중에는 전쟁을 틈타 영국 등 연합군에 전쟁 물자를 공급해서 큰돈을 버는 사람들도 많았다. 미국 정부도 이 사실을 알고 있었지만 모르는 척하였다.

제1차 세계 대전은 과거의 전쟁과는 달랐다. 총과 대포의 위력은 더욱 세져서 과거 전쟁과는 비교할 수 없을 정도로 많은 사람들이 죽었다. 바다의 전투 무기로 잠수함까지 등장했다.

미국에게도 잠수함은 위협적인 무기였다. 수많은 미국 배들이 유럽으로 상품이나 전쟁 물자를 실어 날랐는데, 이 배들이 독일 잠수함의 표적이 될 수도 있었기 때문이다.

제1차 세계 대전 당시의 미국 대통령 윌슨

미국이 전쟁에 개입될 여러 위기가 있었지만 윌슨 대통령은 '전쟁이 없는 평화'를 줄기차게 주장하며 자신의 뜻을 지켰다.

독일군의 공격에 격침당한 영국의 루시타니아 호

1915년에 영국 여객선 루시타니아 호가 독일 잠수함에 의해 격침되어 128명의 미국인이 목숨을 잃었을 때도 미국의 이 같은 태도는 별로 달라지지 않았다. 그런데 1917년에 벌어진 사건은 어쩔 수 없이 미국을 전쟁에 끌어들이게 했다.

이 무렵 독일은 유럽의 바다, 즉 대서양에서 '무제한 잠수함 작전'을 펴고 있었다. 어떤 배든지 대서양을 지나는 배에게 포격을 가한다는 작전이었다. 미국은 결국 독일과 국교를 단절했다. 독일은 멕시코에 외교관을 보내 멕시코가 독일 편을 들어 준다면 전쟁이 끝난 뒤 과거 멕시코의 땅이었던 텍사스를 멕시코에 넘겨 주겠다고 제안했다.

제1차 세계 대전 때 적군을 공격하는 미군들의 모습

전쟁은 미국이 참전하지 않는다면 독일측의 승리로 끝날 가능성이 높았다. 그것은 미국의 국가 이익에도 심각한 위협이 될 게 뻔했다. 1917년, 윌슨은 결국 먼로주의를 무시하고 제1차 세계 대전에 참전하기로 결정했다.

미국이 유럽 대륙에서 일어난 전쟁에 참가한 것은 미국 역사에서 처음 있는 일이었다. 처음에 독일군은 미국의 참전에도 불구하고 여러 전투에서 승리를 거두었다.

펜타곤

육군, 해군, 공군을 모두 지휘하는 미국 국방부 건물을 '펜타곤'이라고 한다. 이 건물을 펜타곤이라고 부르는 이유는 공중에서 보면 이 건물이 오각형으로 보이기 때문이다. 워싱턴 근방에 위치하고 있다.

그러나 시간이 지나면서 상황은 달라졌다. 전쟁에서는 무기와 식량을 조달하는 것이 무척 중요한데, 미국은 풍부한 지하 자원을 보유하고 있었기 때문에 시간이 지나면서 3년 넘도록 전쟁을 해 온 독일을 압도하기 시작하였던 것이다. 결국 미국을 중심으로 한 연합군은 1918년부터 전세를 역전시켜 독일을 밀어붙였다. 최후의 방어선이 뚫리자 독일의 황제는 결국 항복을 선언하고 말았다.

그렇게 전쟁은 끝났다. 그리고 미국은 유럽 모든 나라가 인정하는 세계 최대의 군사 강국이 되어 있었다. 세계의 모든 나라가 미국의 눈치를 보아야 하는 시대가 되어 버린 것이다.

식민지들의
독립을 향한 꿈

민족 자결주의 선언 : 1918년

제1차 세계 대전이 한창일 때 조선은 나라의 권리(국권)를 잃
고 일본의 식민지 지배를 받고 있었다. 전쟁이 독일의 패배로
끝난 뒤 조선에도 희망의 소식이 전해졌다. 1918년, 윌슨 대통
령의 민족 자결주의 선언이었다.

제1차 세계 대전이 끝난 뒤 1919년, 프랑스 파리에서는 승전
국과 패전국들이 모여 보상 문제 등을 의논하였고 베르사유 조
약을 체결하였다. 이 무렵 윌슨은 14개 항목의 평화 원칙을 발
표하였는데 윌슨 대통령은 세계의 평화를 유지하기 위한 조건으
로 민족 자결주의를 강조하였다.

민족 자결주의란, 한 민족이 독립적인 국가를 만들 수 있고
또 그 민족은 독립적인 정부를 선택할 권리가 있다는 주장이다.

세계 최강대국인 미국의 대통령이 제안한 이 원칙은 식민지 지배를 받고 있는 세계의 여러 민족에게는 반가운 소식이었다.

월슨의 발표를 들은 조선의 독립 운동가들은 흥분에 들떴다. 가장 먼저 이 소식을 접한 미국에 있던 교포들은 파리로 대표단을 보내 조선의 독립을 호소하는 운동을 벌였다. 또한 중국에 있던 독립 운동가들도 파리에 대표단을 보낼 계획을 세웠다.

당시 일본에는 조선의 유학생들이 꽤 있었는데 이 유학생들도 민족 자결주의 선언을 들은 뒤 독립의 꿈을 더욱 강하게 품었다. 유학생들은 급기야 조선의 독립을 요구하는 2·8 독립 선언문을 발표하였다. 이러한 흐름은 1919년에 조선의 모든 백성이 독립을 요구하며 거리로 나선 3·1 운동으로 이어졌다.

그러나 식민지 조선의 독립 요구를 귀담아 듣는

3·1 운동 당시 독립 선언문을 낭독하는 모습

제1차 세계 대전 이후 세계 평화를 목적으로 창립된
국제 연맹

강대국은 하나도 없었다. 사실 윌슨이 주장한 민족 자결주의는 독일과 오스트리아가 지배하던 식민지를 고려한 것이었다. 따라서 전쟁에서 이긴 연합군이 식민지로 삼고 있는 나라에는 전혀 적용이 되지 않았던 것이다.

그래도 미국의 다른 대통령에 비해 평화주의를 적극 지지했던 윌슨은 앞으로 또 일어날지 모를 세계 대전을 방지하기 위한 국제 기구를 만들 것을 제안하였다. 그 결과 만들어진 것이 '국제 연맹'이다.

그러나 국제 연맹은 큰 역할을 하지 못했다. 미국 국내에서 윌슨을 반대하는 공화당이 국제 연맹에 참가하는 것을 거부하였기 때문이다. 미국은 윌슨 대통령과의 뜻과는 상관없이 국제 연맹에 참여할 수 없는 처지가 되고 말았다.

마피아들의 시대

금주법 통과 : 1919년

미국은 여러 가지로 세계 최초의 역사를 가진 나라다. 그 중 하나가 오랫동안 법적으로 술 만드는 일과 술 마시는 일을 금지한 금주법이다. 이런 제도를 실시한 나라는 세계 역사에서 미국밖에 없다.

미국은 청교도들이 세운 나라라는 전통 때문에, 정치적인 자유는 다른 나라보다 앞섰는지 몰라도 청교도의 엄격한 생활 태도가 전통이 되어 내려왔다.

청교도들이 강조하는 것 중에는 금욕과 절제도 있었다. 독실한 청교도들은 술은 금욕과 절제의 정신을 망가뜨리는 매우 위험한 물질이라고 생각했다. 청교도들은 기회가 있을 때마다 술을 원천적으로 없애 버릴 것, 즉 금주법을 주장하였다.

청교도 못지않게 금주법을 환영한 것은 여성들이었다. 술 마시는 남편 때문에 살림이 더욱 어려워지거나 또 학대를 받은 경험이 있는 여성들도 청교도들이 주장하는 금주법에 적극 찬성한 것이다. 이런 세력들이 술을 만드는 것, 운반하는 것, 판매하는 것을 금하는 금주법을 제안하자 미국의 의회는 1919년 이 법을 통과시켰다. 인류 역사에서 최초로 금주법이 만들어진 것이다.

"자, 한잔 합시다. 이게 우리가 마실 수 있는 마지막 술이오!"

금주법이 국회에서 통과되기 직전, 미국의 술집에서는 수많은 사람들이 떨떠름한 얼굴로 술잔을 기울이고 있었다. 그러나 한

편으로는 별로 걱정스러워하지 않는 사람도 있었다.

"몰래 만든 술을 마시면 되는데 무슨 걱정이오?"

몰래 만든 술, 즉 밀주는 금주법을 실시하자마자 더욱 많이 생산되었다. 따라서 밀주를 만드는 조직은 큰돈을 벌었다. 폭력 조직들도 이 사업에 적극 뛰어들었는데 그들은 밀주 사업에 경쟁자가 생기면 폭력으로 과감하게 경쟁자를 제거하는 일도 서슴지 않았다.

금주법 시대를 풍자한 만화

이 때 크게 세력을 키운 집단이 있었으니 바로 마피아 조직이다. 서부 시대의 무법자는 총을 들고 은행이나 마차를 터는 총잡이들이었다. 그런데 20세기가 되면서 그런 총잡이들이 사라진 대신 조직적인 폭력 집단이 대도시를 중심으로 생겨나기 시작했는데 마피아가 그런 세력 중 하나였다.

마피아는 원래 이탈리아 아래에 위치한 시칠리아 섬의 범죄 조직을 가리키던 말이다. 미국에 마피아 조직이 생겨난 것은 미국으로 수많은 이탈리아 사람들이 이민을 오면서부터였다.

이탈리아 이민자들 중에는 시칠리아에서 마피아 단원으로 활동했던 사람이 있었다. 이탈리아 출신들은 조금씩 세력을 키워 자신들만의 독자적인 폭력 조직을 만들어 갔다.

20세기 초반 미국의 대도시에는 저마다 큰 폭력 조직이 있었다. 각 조직들은 대부분 같은 나라에서 온 이민자들로 구성이 되어 있었다. 마피아 이전에 가장 강력했던 폭력 조직은 아일랜드 이민자들이 만든 조직이었다. 유대인들이 만든 폭력 조직도 만만치 않았다. 그런데 이탈리아 출신 마피아들은 이들과 피비린내 나는 경쟁을 벌여 미국의 폭력 조직을 지배하는 데 성공하였다.

금주법 시대를 주름잡았던 마피아의 두목 알 카포네의 모습

금주법 시대에 마피아는 더욱 세력을 키울 수 있었다. 법적으로 술을 만드는 것이 금지되어 있어 술은 늘 귀했고 부르는 게 값이었다. 이 때 마피아는 조직을 가동해서 밀주를 만들었고 이것을 비싼 값에 팔아 엄청난 이익을 챙겼다.

금주법이 없어진 다음에도 마피아는 사라지지 않았다. 도박, 사채업,

마약 등 여러 가지 사업에 손을 대서 영향력을 키워 나갔던 것이다. 이후 1990년대까지 마피아 조직은 사라지지 않았고, 마피아라는 이름은 폭력 조직을 상징하는 말이 되었다.

한편, 금주법은 부작용이 매우 많았다. 술값이 계속 치솟자 밀주를 사느라고 사람들의 지갑 사정은 더 나빠졌다. 게다가 밀주 사업을 하는 폭력 조직이 점점 늘어났으며 이를 둘러싼 폭력, 강도, 살인 사건도 끊이지 않았다. 결국 금주법은 만들어진 지 13년 만에 소리없이 폐지되고 말았다.

〈대부〉

미국에서는 마피아 조직을 소재로 한 영화와 소설들이 많이 만들어졌다. 가장 대표적인 작품이 소설과 영화로 만들어져 큰 성공을 거둔 〈대부〉라는 작품이다.

문화 강국으로 성장한 미국

영화 도시 할리우드의 탄생 : 1920년

　미국은 세계 여러 나라 민족들이 모여 만든 국가다. 물론 미국의 기초를 세운 것은 청교도들을 중심으로 한 영국인들이었지만 시간이 지나면서 흑인, 아시아인, 남아메리카인 등이 모여들어 다양한 문화가 꽃피게 되었다.

　클래식 음악이나 전통 미술의 경우, 미국은 문화적으로 역사가 긴 나라가 아니기 때문에 세계적인 문화를 만들어 내지는 못했다. 그러나 새로운 형식의 음악과 영화 분야에서는 20세기부터 세계 문화를 주도하기 시작했다.

　미국에서 생겨난 음악에는 재즈가 있다. 빠른 리듬을 가진 록음악, 빠른 리듬에 맞춰 가사를 읊조리는 힙합 같은 음악도 미국에서 생겨난 것이다.

다른 예술 분야와는 달리 역사가 짧은 편인 영화의 경우는 미국이 주도적으로 발전시켜 왔다. 미국 영화를 부흥시킨 곳은 할리우드라는 도시다.

세계 영화의 중심지 할리우드

할리우드는 로스앤젤레스(LA) 부근에 있는 지역으로 1920년 이 곳에 영화 제작소들이 들어서면서 세계적인 영화 도시가 되었다. 지금도 할리우드에는 수많은 영화사의 본사가 있고 영화 세트장, 영화 박물관이 있다. 할리우드에 있는 고급 주택가인 비벌리힐스는 유명한 영화 배우와 부자가 사는 동네로 손꼽힌다.

연극과 뮤지컬은 뉴욕에 있는

연극과 뮤지컬이 발달한 뉴욕의 브로드웨이

거리인 브로드웨이를 중심으로 발달하였다. 브로드웨이에 연극을 공연하는 극장이 처음 들어선 것은 1900년의 일이다. 지금도 브로드웨이에서는 일 년 내내 연극과 뮤지컬이 공연되고 있기 때문에 뉴욕을 방문한 수많은 관광객들이 브로드웨이를 찾는다. 또한 뉴욕은 연극 외에 미국의 패션과 미술, 금융을 이끄는 도시로 발전하였다.

미국은 언론이 가장 발달한 나라이기도 하다. 신문이 처음 생겨난 곳은 유럽이지만 현재 미국에는 각 주별로 그 주를 대표하는 신문들이 있다. 〈뉴욕 타임스〉와 〈로스앤젤레스 타임스〉 같은 신문은 그 신문이 발행되는 지역뿐만 아니라 미국 전 지역에 큰 영향을 끼치고 있다. 잡지의 경우도 매우 발달해서 〈TV 가이드〉 같은 잡지는 매회 1,000만 부 이상을 찍어 낼 정도다. 방송국도 전국을 단위로 하는 방송국과 각 주별로 수많은 방송국이 있다. 또한 땅이 워낙 넓기 때문에 지역 케이블 방송국만 하더라도 현재 1만 개가 넘는다.

프로 스포츠의 발달

최초 프로 야구 팀 창단 : 1869년

사람들이 극장에 자주 가고 운동 경기도 자주 보려면 주머니 사정이 여유로워야 하며 여가 시간이 있어야 한다. 경제 사정이 좋지 않은 나라에서는 영화 산업이 잘 될 수가 없고 또 프로 스포츠도 발달하기 힘들다.

제1차 세계 대전 이후 경제적인 풍요를 누리던 미국에서는 자연스럽게 영화, 드라마, 대중 음악이 발달하였고 스포츠도 다양하게 발달하였다.

스포츠에는 프로 스포츠와 아마추어 스포츠가 있다. 아마추어 스포츠가 순수하게 취미로 즐기는 스포츠라면, 프로 스포츠는 스포츠를 직업으로 삼는 경우를 말한다. 미국은 20세기에 접어들면서 프로 스포츠가 가장 발달한 나라가 되었다.

미국에서 가장 큰 인기를 얻고 있는 프로 스포츠인
미식 축구

프로 스포츠 중에는 미국에서만 발달한 스포츠도 있다. 헬멧과 프로텍터를 착용하고 한 편이 11명으로 구성되어 벌이는 미식 축구(아메리칸 풋볼)가 그런 경우다. 미국에는 각 학교마다 미식 축구 팀이 있고 훌륭한 선수는 프로 미식 축구 선수로 활동한다. 미식 축구 팀은 해마다 한 번씩 슈퍼볼 대회를 통해 그해의 챔피언을 가린다.

2005년 슈퍼볼에서는 한국계 혼혈인 하인스 워드 선수가 눈부신 활약을 해서 최우수 선수(MVP)로 뽑히기도 했다.

미국에서 가장 오랜 역사를 가진 스포츠는 야구다. 100년의 역사를 넘긴 야구는 시간이 지나면서 다른 나라로도 전파되어 세계적인 스포츠가 되었다.

미식 축구처럼 미국의 모든 학교에는 야구 팀이 있다. 또 야구를 특별히 잘 하는 사람은 프로 선수로 활동한다. 프로 야구 팀이 모여 만든 리그를 메이저 리그라고 하는데, 다른 나라에서 야구를 잘 하는 선수들도 메이저 리그에 진출해서 돈과

미국의 프로 야구 메이저 리그는 100년이 넘는 역사를 지닌 인기 스포츠 종목이다.

명예를 얻기도 한다. 우리 나라의 경우 박찬호 선수가 최초로 메이저 리그에 진출하였다. 메이저 리그는 내셔널 리그와 아메리칸 리그로 나뉘는데, 두 리그에서 각각 우승한 두 팀이 7전 4선승제로 경기를 벌여 그 해의 프로 야구 챔피언을 결정한다. 이 경기를 월드 시리즈라고 한다.

이 외에 미국은 프로 골프(남자는 PGA, 여자는 LPGA), 프로 테니스, 프로 권투, 프로 아이스 하키 등의 종목이 세계에서 가장 높은 수준을 자랑한다. 따라서 수많은 선수들이 이 무대에 진출하기 위해 노력하고 있다.

미국의 자연 유산 & 문화 유산

UN의 기구인 유네스코는 세계의 교육과 문화의 발전·보호를
위해 일하는 곳이다. 유네스코는 세계의 자연과 문화재 중에서
꼭 보존해야 할 유산을 지정해서 특별히 보호하고 있다.
미국은 땅이 넓고 다양한 기후를 가진 나라이기 때문에
아름다운 자연 유산이 많다. 유네스코가 지정한 세계 유산에는
자연 유산과 문화 유산, 복합 유산이 있는데, 미국의 자연
유산에는 다음과 같은 것들이 있다.

◆ 옐로 스톤 국립 공원 – 산의 바위가 노란색을 띤다고 해서
　'옐로 스톤'이란 이름이 붙었다. 와이오밍 주에 있으며 많은
　야생 동물들이 살고 있다.
◆ 그랜드 캐년 – 애리조나 주에 있는 협곡이다. 이 협곡은
　주변의 강물에 의해 오랜 세월에 걸쳐 깎여 나가 장관을
　이루고 있다.
◆ 에버글레이즈 국립 공원 – 다양한 수생 식물과 파충류가
　사는 곳이다.

◈ 레드 우드 국립 공원 – 캘리포니아 주에 있으며 울창한 삼림으로 유명하다.

◈ 매머드 동굴 국립 공원 – 세계에서 가장 큰 규모를 자랑하는 자연 동굴로 켄터키 주에 있다.

◈ 그레이트 스모키 산맥 국립 공원 – 다양한 식물들과 멸종 위기의 동물들이 사는 곳이다.

◈ 요세미티 국립 공원 – 미국을 대표하는 관광지로 다양한 동식물이 산다.

◈ 하와이 화산 국립 공원 – 하와이는 화산 폭발로 생긴 섬으로, 아직도 활동을 하는 2개의 화산 지역이 화산 공원으로 지정되었다.

미국은 역사가 짧아서 문화 유산은 국토 크기에 비해 적은 편이다. 필라델피아에 있는 독립 기념관, 뉴욕의 입구를 지키는 자유의 여신상, 콜로라도 주에 있는 인디언 유적지 등이 유네스코 문화 유산으로 지정되어 있다.

뉴욕에 있는 자유의 여신상

비행기를 타고
뉴욕에서 파리로

제1차 세계 대전이 끝난 뒤 미국 사람들은 자기 나라가 세계 최강대국이란 사실에 어깨를 으스댔다.

"독일놈들, 감히 잠자는 사자의 코털을 건드리다니!"

"요즘 우리 나라의 경제는 세계 최고야. 웬만큼 사는 사람은 누구나 자동차를 모는 나라가 우리 미국말고 또 어디 있겠어?"

"자동차만 1등인가? 석유 산업, 전기 산업, 화학 산업도 우리가 세계 1등이라구!"

"우리 나라만큼 라디오가 많이 보급되고 사람들이 여유 있게 영화를 즐길 수 있는 나라도 없지."

미국인들의 자존심은 갈수록 커졌다. 그런데 1927년, 미국인들의 이러한 긍지를 한층 더 높여 준 인물이 있었다. 바로 찰스 린드버그라는 우편 비행기 조종사였다. 그는 최초로 비행기를 타고 쉬지 않고 대서양을 건너 세상 사람들을 깜짝 놀라게 했다.

라이트 형제가 처음 비행기를 발명한 이래, 비행기는 느린 속도지만 조금씩 성능을 개선해 나갔다. 그런데 하늘을 나는 이 기계는 당시만 해도 여러 가지 결함이 있어서 비행기를 타고 먼 거리를 가려면 목숨을 내놓을 각오를 해야 했다. 실제로 수많은 사람들이

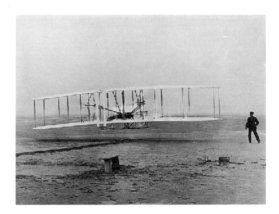

라이트 형제가 발명한 최초의 동력 비행기 플라이어 호

비행기를 타고 산맥을 넘거나 바다를 건너다가 목숨을 잃었다. 그런 상황에서 머나먼 대서양을 건너 유럽으로 비행기를 타고 간다는 것, 그것도 한 번도 쉬지 않고 간다는 것은 불가능한 일처럼 보였다.

"나는 어릴 때부터 비행기가 좋았다. 나는 대서양을 건너는 최초의 비행사가 되고 싶다."

우편물을 나르는 비행기로 조그만 도시 사이를 날아다닌 경험 밖에 없었던 25세의 젊은 비행사 린드버그에게 대서양 횡단은 평생의 꿈이었다.

그의 의지를 알게 된 세인트루이스의 한 단체에서 비행에 필요한 자금을 지원해 주었다. 린드버그는 자신이 탈 비행기의 이름을 '스피릿 오브 세인트루이스(세인트루이스의 정신)'라고 지었다. 그 비행기는 지금의 비행기와 비교하면 너무나 고물이었다. 비행기 안에 방향 탐지기조차 없었던 것이다.

린드버그가 대서양을 횡단할 때 탔던 비행기
스피릿 오브 세인트루이스 호

그가 비행기를 타고 뉴욕을 출발하던 날, 4만 명이 넘는 사람들이 모여 그의 무사 비행을 빌었다. 린드버그는 미국 국민들의 기대를 한몸에 받으며 비행기를 몰고 하늘로 날아올랐다.

그런데 이틀째 되던 날까지도 린드버그로부터 아무런 연락이

오지 않았다. 사람들은 그가 비행 도중 추락하여 넓고 넓은 대서양에 빠져 죽은 걸로 생각하였다. 그러나 그것은 착각이었다. 린드버그는 뉴욕을 떠난 지 33시간 만에 도착 예정지인 프랑스 파리의 하늘에 접근하고 있었다.

파리의 밤 풍경을 바라보며 린드버그는 이렇게 소리쳤다.

"저것이 파리의 등불이다!"

이것은 그가 세계 역사에 길이 남을 모험에 성공하였음을 상징하는 말이 되었다. 그가 파리에 무사히 도착했을 때, 10만 명의 파리 시민이 그를 열렬하게 환영하였다. 그가 쉬지 않고 대서양을 건너는 데 걸린 시간은 무려 33시간 30분이었다.

린드버그의 대서양 횡단 성공 후 비행 산업은 빠른 속도로 발전하였다. 1930년에는 미국의 상업 비행기가 미국 대륙을 20시간 만에 횡단할 수 있었고, 1935년에는 미국의 항공사들이 태평양을 건너갈 수 있는 비행기도 만들어 냈다. 이후 제트 엔진이 발명되면서 비행기는 린드버그의 비행기보다 훨씬 빠른 속도로 세계를 누비게 되었다.

세계의 경제를 뒤흔든 대공황

주가 대폭락 : 1929년

제1차 세계 대전 뒤, 미국의 경기는 호황을 누리고 있었다. 그러나 도시에 살던 가난한 사람들의 살림은 크게 나아지지 않았다. 공장은 나날이 더 많은 물건을 생산하였고 돈에 여유가 있는 사람들은 저마다 주식에 투자하였다. 주식 투자에 성공한 사람들의 입소문이 번지면서 살림이 넉넉하지 않은 사람도 빚을 내서 주식 투자를 하였다. 미국의 경제력은 이제 너무나 커져서 수많은 나라들이 미국 경제에 의지하는 상황이 되어 버렸다.

그런데 1929년, 미국 경제는 하루 아침에 무너지고 말았다. 대공황의 시작이었다. 미국에서 일어난 대공황은 삽시간에 세계 경제를 대혼란으로 몰아넣었다.

그렇다면 왜 대공황이 일어났을까?

미국의 공장들은 기계의 발명 등으로 생산량이 폭발적으로 늘어나고 있었다. 그런데 시간이 지나면서 이 물건을 다 소비할 수 없는 상황이 되었다. 그도 그럴 것이 대다수의 가난한 사람들은 물건을 사고 싶어도 살 돈이 없었던 것이다. 공장들은 언젠가는 팔리겠지 하면서 팔다 남은 재고품을 창고에 가득 쌓아 두었다.

주식 시장도 문제였다. 주식 투자 바람을 타고 엄청난 자금이 주식 시장으로 몰려들자 기업들의 주식 가격이 급격하게 뛰어올랐다. 주식 가격은 그 기업의 능력을 기준으로 하여 합

분노의 포도

대공황 시대를 배경으로 존 스타인벡은 소설 〈분노의 포도〉를 썼다. 〈분노의 포도〉는 농사를 망친 조드 집안 사람들이 고향을 떠나 캘리포니아로 가는 과정을 그린 소설이다. 가난에 내몰린 이들 가족은 캘리포니아로 가는 과정에서 가족 간에 이별의 아픔을 겪는 등 온갖 시련을 당한다. 〈분노의 포도〉는 가난에 지친 사람들에게 공감과 용기를 준 소설이었다. 그러나 돈이 많은 자본가와 지주들에게는 공산주의 사상을 불러일으키는 나쁜 책이라는 평가를 받아야 했다. (사진은 존 스타인벡)

대공황이 닥쳤을 때 거리에서 행렬을 이루고 서 있는 실업자들의 모습

리적으로 정해져야 하는데, 주식 바람을 타고 거품 현상이 생긴 것이다.

마침내 1929년 10월 24일 목요일, 주식 거품이 일순간 꺼지는 사태가 벌어졌다. 주식 가격의 대폭락으로 주식에 투자한 사람들 중 상당수가 하루 아침에 거지가 되고 말았다. 은행에서 돈을 빌려 주식을 산 사람은 파산을 당했고, 뒤이어 기업들도 줄줄이 파산하였다.

기업은 당장 파산을 막으려면 직원을 줄여야 했다. 따라서 공장에서 꾸준히 월급을 받던 노동자들은 갑자기 실업자가 되고 말았다. 미국의 실업률은 30%를 넘었고, 거리는 온통 실업자 천지가 되었다.

미국 경제의 붕괴는 다른 나라에도 영향을 끼쳤다. 미국에 농

루스벨트는 뉴딜 정책으로 실업자를 구제하였다.

산물을 수출하던 후진국들은 수출길이 막혀 경제가 파탄이 났고, 미국의 도움을 받아 경제 재건을 하던 유럽의 나라들과 미국과의 무역에 의지하던 공업 국가들도 경제 불황에 휩싸였다. 인류 역사에서 전세계가 이처럼 동시에 불황을 겪은 것은 이전에도 없었고 이후에도 없었다.

미국의 대공황에서 시작된 경기 불황은 1933년까지 이어졌다. 미국 정부는 공황에서 벗어나기 위해 실업자를 줄이는 일부터 시작하였다. 대규모 공사를 시작해서 그 곳에 실업자들을 일꾼으로 고용하는 정책을 편 것이다. 또한 재고가 넘쳐나지 않도록 공장의 생산량과 식량 생산량을 조절하는 정책도 추진하였다. 이런 정책을 지속적으로 편 후에야 경기 불황은 끝이 났다.

이 정책을 편 사람은 1932년 대통령에 당선된 루스벨트였다. 이 때 미국 정부가 편 경제 부흥 정책을 '뉴딜 정책'이라고 하는데, 뉴딜이란 우리말로 '새로운 처방'이란 뜻이다.

제2차 세계 대전 속의 미국

제2차 세계 대전 발발 : 1939년

대공황으로 고통을 당한 것은 유럽도 마찬가지였다. 가장 고통을 받은 나라는 제1차 세계 대전에서 패하여 승전국에 많은 돈을 물어 주어야 했던 독일이었다. 경제난이 심해지자 독일 국민들은 이웃 나라들을 원망하면서 과거의 전쟁을 반성하지 않고 다시 강한 독일을 꿈꾸기 시작하였다.

국민들의 이런 불만을 이용해서 권력을 잡은 사람이 히틀러였다. 히틀러는 군사력을 더욱 강화했고, 1930

높아 가는 국민들의 불만을 이용해 정권을 잡은 히틀러

이탈리아를 방문한 독일의 독재자 히틀러(왼쪽)와 그를 맞이하는 무솔리니(오른쪽)

년대를 지나면서 유럽에는 다시 전쟁의 어두운 그림자가 드리우기 시작했다.

이 무렵 미국은 제1차 세계 대전에 개입하였다가 여러 가지 후유증을 겪었기 때문에 유럽의 정치 문제에 대해 중립을 지키는 중립주의 정책을 펴고 있었다.

그러나 미국의 중립주의는 완전한 중립주의가 아니었다. 전쟁이 벌어진 곳에 군대를 보내거나 무기를 대주지 않았을 따름이지, 전쟁을 일으킨 나라와도 경제적인 거래는 끊지 않았던 것이다.

대표적인 예가 독일의 히틀러 정권과 가까웠던 이탈리아의 독재자 무솔리니가 아프리카에 있는 에티오피아를 침공했을 때의 일이다. 전쟁을 일으킨 것은 이탈리아였다. 원칙대로라면 미국은 이탈리아와 모든 관계를 끊어야 했다. 그러나 미국은 과거에 해 오던 대로 이탈리아에 석유를 수출하는 것을 중단하지 않았다. 그것이 미국 경제에 보탬이 되기 때문이었다. 에티오피아가 이탈리아 군인들의 총에 짓밟히는 것은 안중에도 없었다.

1939년, 유럽에서는 수많은 사람들이 걱정했던 전쟁이 다시 터지고 말았다. 독일이 폴란드를 기습 침공하여 차지해 버린 것이 계기였다. 영국과 프랑스는 한 편이 되어 독일과 이탈리아에 맞서 전쟁을 시작하였다. 제2차 세계 대전의 시작이었다.

전쟁이 일어나자 미국의 여론은 둘로 나뉘었다.

"유럽의 평화가 위험하다. 전쟁에 참여하지 않더라도 연합군에 물자를 지원해 주어야 한다."

"아니다, 이제 더 이상 유럽의 전쟁에 휘말리지 말아야 한다. 영국이 이기든 독일이 이기든 우리가 상관할 바 아니다."

논란 끝에 미국 정부는 영국과 프랑스에 무기를 공급하기로 결정을 내렸다. 그렇지만 그 때까지도 미국은 유럽에 군대를 보낼 계획은 없었다. 그런데 뜻밖의 일이 미국을 전쟁으로 끌어들였다. 바로 독일 편에 섰던 일본이 미국을 공격한 것이다.

태평양 전쟁의 비극

1941년 12월 7일 일요일 아침, 하와이 섬의 진주만 기지는 평온하기만 했다. 이 때 갑자기 북쪽 하늘로부터 수많은 전투기들이 날아들어 기습 폭격을 가했다. 항구에 있던 배, 계류장에 있던 비행기들이 피할 틈조차 없는 기습 공격이었다.

공격은 하루 종일 이어졌다. 기습 공격을 한 것은 일본 전투기들이었다. 진주만 공습으로 미군은 149대의 전투기를 잃었고, 기습 공격으로 사망한 사람만 2,400여 명이었다. 애리조나 호 등 수많은 항공 모함, 전투함들도 폭격을 받고 침몰하였다. 또한 비슷한 시간, 필리핀에 있던 미군 기지도 일본 전투기의 공격을 받았다.

그렇다면 왜 일본은 진주만을 기습 공격한 것일까?

1941년 12월 7일, 진주만에서 일본군의 폭탄 공격을 받고 있는 미국 전함

　제2차 세계 대전이 일어나자 일본은 독일과 이탈리아 편에 섰다. 이미 오래 전부터 일본은 아시아를 일본의 지배하에 하나로 묶는다며 아시아의 여러 나라를 침략하였다. 급기야 일본은 미국이 지배하던 필리핀 근처의 섬까지 차지하였다. 일본이 더 세력을 떨치게 되면 아시아 지역에서 미국의 힘이 급격히 약해질 게 뻔했다.

　따라서 미국은 일본에 대한 석유, 철강 제품 수출을 금지했다. 또 미국에 있는 일본인 소유의 재산을 압류하였고, 당시 일본과 싸우던 중국 정부를 지원하기 시작하였다. 그리고 일본에 대해서는 즉각 아시아 침략을 중단할 것을 요구하였다.

일본은 미국의 요구를 거절했다. 대신 비밀리에 미국을 기습 공격한다는 계획을 세웠다. 일본에서 태평양을 건너 미국 본토를 공격하는 것은 힘이 들었다. 따라서 일본은 항공 모함에서 전투기를 띄워 태평양 한가운데에 있는 하와이의 미군 기지를 공격하기로 했다. 그렇게 해서 진주만 공격이 시작된 것이다.

이 무렵 미국도 일본이 자신들의 요구를 거절할 경우 전쟁을 벌일 생각을 하고 있었다. 그러나 일본이 그토록 빨리 공격해 올 줄은 몰랐다. 진주만 폭격 소식을 들은 미국 정부는 즉각 선전 포고를 하였다. 결국 1945년까지 두 나라는 태평양의 바다와 섬에서 전쟁을 벌였다. 이것이 태평양 전쟁이다.

태평양 함대 사령부
태평양 일대의 미군을 총지휘하는 사령부가 미국 태평양 함대 사령부다. 우리나라에 들어와 있는 미군(주한 미군)도 태평양 함대 사령부의 지휘를 받는다. 본부는 하와이 진주만에 있다.

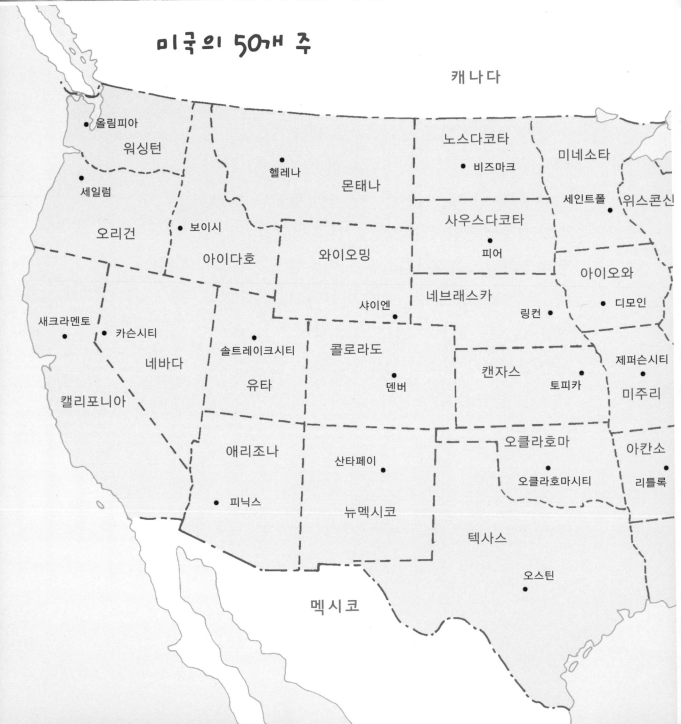

미국의 50개 주

캐나다

올림피아

워싱턴

노스다코타

비즈마크

미네소타

헬레나

세일럼

몬태나

세인트폴

위스콘신

오리건

보이시

아이다호

와이오밍

사우스다코타

피어

아이오와

디모인

새크라멘토

카슨시티

네바다

솔트레이크시티

콜로라도

샤이엔

네브래스카

링컨

캔자스

토피카

제퍼슨시티

미주리

캘리포니아

유타

덴버

애리조나

산타페이

오클라호마

아칸소

피닉스

뉴멕시코

오클라호마시티

리틀록

텍사스

오스틴

멕시코

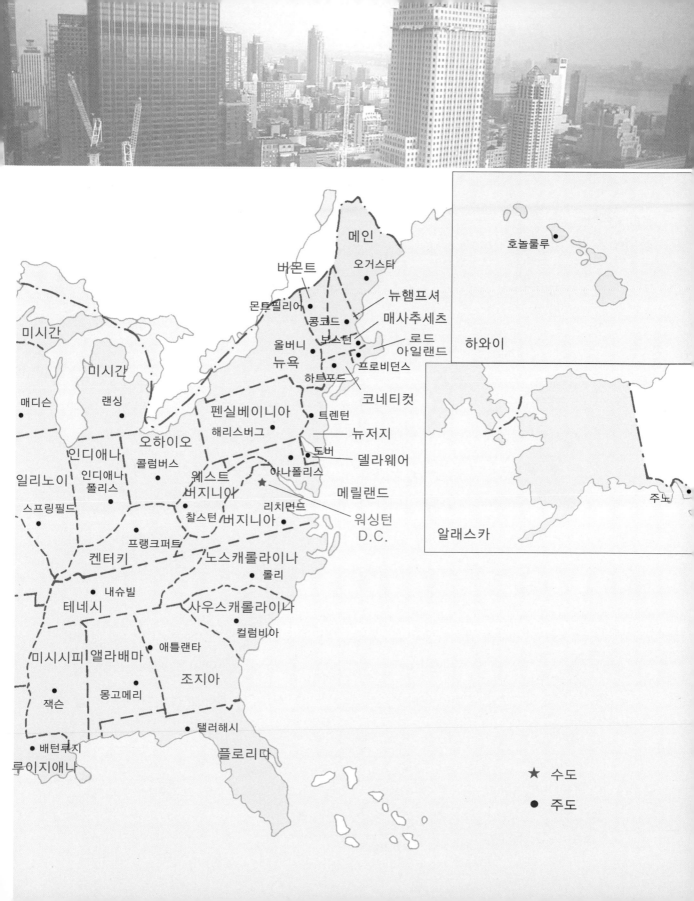

핵무기 시대의 시작

　미국의 제2차 세계 대전 참여는 일본은 물론 독일과 이탈리아에게도 불행한 사건이었다. 미국은 당시 세계에서 전쟁 자원이 가장 풍부한 나라였다. 미국은 지원자를 포함해 1,000만 명에 가까운 군인이 모집되었다. 더구나 미국에는 전쟁에 꼭 필요한 석유가 풍부했고, 기계 공장을 무기 공장으로 바꾸자 단번에 수많은 무기를 생산해 낼 수 있었다. 한 예로 미국은 한 해에 10만 대의 전투기를 만들 수 있는 능력이 있었다.

　미국의 군인들이 유럽과 태평양의 전투 현장에 투입이 되면서 연합군은 조금씩 세력을 되찾기 시작했다. 결국 연합군은 프랑스 해안인 노르망디에서 상륙 작전을 벌였고 얼마 후 독일이 점령하고 있던 프랑스 수도 파리도 되찾을 수 있었다.

당시 독일에게는 미국 못지않은 강적이 하나 있었다. 바로 소련(지금의 러시아)이었다. 히틀러는 소련의 석유를 노려 소련을 침공했지만 결국 실패로

1944년 6월 6일, 노르망디 해안에 상륙한 미국 병사들

돌아가 후퇴를 해야 하는 지경이 되었다. 이탈리아가 항복을 선언하고 동쪽에서는 소련 군대가, 남쪽과 동쪽에서는 연합군이 공격을 하게 되면서 히틀러는 독 안에 든 쥐 신세가 되고 말았다. 결국 히틀러는 1945년 4월, 연합군이 독일의 수도 베를린을 포위했을 때 스스로 목숨을 끊었다. 이렇게 해서 세계 역사상 가장 많은 사람을 희생시킨 제2차 세계 대전이 끝났다.

그러나 미국이 일본과 벌인 태평양 전쟁은 아직 끝나지 않고 있었다. 태평양 전쟁 때 미군을 지휘하던 사람은 맥아더 장군이었다. 맥아더의 군대는 1944년 일본이 점령하고 있던 필리핀을 되찾았다.

군사 물자가 부족했던 일본은 전투기에 탄 비행사가 인간 폭

탄이 되어 항공 모함으로 돌진하는 가미카제 공격을 퍼붓는 등 끈질기게 저항하였다. 그러나 일본 군대는 결국 연합군에 밀려 그들이 차지했던 대부분의 점령지를 잃었다. 이제 남은 것은 하나, 일본 본토뿐이었다.

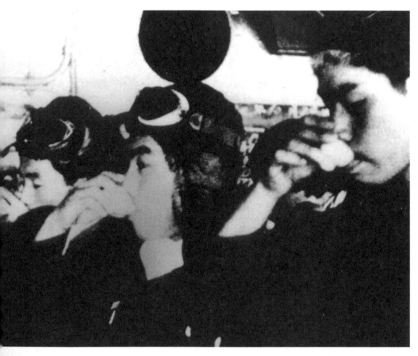

일본의 가미카제 비행사들이 비행하기 전 작별 의식으로 술을 마시는 모습

제2차 세계 대전 초기, 미국은 깜짝 놀랄 만한 정보를 전해 들었다. 독일이 비밀리에 핵무기를 만들고 있다는 정보였다. 미국은 신속하게 과학자들을 동원해서 독일보다 먼저 핵을 이용한 원자 폭탄을 만드는 작업에 들어갔다. 이 계획은 '맨해튼 계획'이라고 불렸다.

그 결과 미국은 1943년에 원자 폭탄을 만드는 실험에 들어갔고, 결국 1945년 미국의 한 사막에서 원자 폭탄 실험에 성공했다. 그러나 일본은 이 사실을 모르고 있었다. 당시 미국의 대통령이었던 트루먼은 일본에 최후 통첩을 하였다.

"무조건 항복하라!"

그러나 승리할 가능성이 없었음에도 일본은 천황을 중심으로 끝까지 미국에 맞서 싸울 계획을 세웠고, 미국의 요구를 거절하였다. 미국은 결국 원자 폭탄을 일본에 떨어뜨리기로 결정했다. 원자 폭탄이 떨어질 경우, 수많은 일본 사람들이 죽을 것이 분명했다. 그러나

1945년 히로시마에 원자 폭탄이 떨어진 후의 희생자들의 모습

미국은 원자 폭탄을 사용하지 않고 일본을 완전 정복하려면 수십만 명의 미군이 희생될 것이라 생각하여 결국 원자 폭탄을 사용하기로 결정하였다.

히로시마에 원자 폭탄을 떨어뜨렸던 B-29 폭격기의 모습

1945년 8월 6일, 일본의 역사적인 도시인 히로시마 하늘에 미군의 B-29 폭격기가 나타났다. 폭격기는 히로시마 상공에서 길이가 3m에 불과한 원자 폭탄을 떨어뜨렸다. 폭탄은 550m 상공에서 폭발하였다.

폭탄의 위력은 충격적이었다. 히로시마 시의 최중심부에서 주변 12km가 핵폭발에 따른 폭풍으로 순식간에 파괴되었다. 더 끔찍한 것은 사람들의 희생이었다. 히로시마 시민 7만 8,000여 명이 이 한 개의 폭탄에 의해 사망하였다. 승리와 패배를 떠나 그것은 인류 역사에서 가장 끔찍한 순간이었다.

일본이 그래도 항복하지 않자 미국은 8월 9일 또 하나의 폭탄을 떨어뜨렸다. 원자 폭탄의 두 번째 희생물이 된 도시는 나가사키였다. 이번에도 3만 명이 넘는 사람이 목숨을 잃었다.

결국 일본은 항복을 선언했다. 일본의 천황을 대신한 일본 대표가 미국 항공 모함에 올라 맥아더 장군 앞에서 항복 문서에 서명을 함으로써 피비린내 나는 전쟁은 막을 내렸다.

6

냉전 시대의
시작과 끝

미국과 소련의 대립

냉전의 시작 : 1947년

　제2차 세계 대전이 끝난 뒤 평화의 시대는 그리 오래 가지 않았다. 비록 큰 전쟁은 일어나지 않았지만 소련을 중심으로 한 공산주의 국가들과 미국을 중심으로 한 자유 민주주의 국가 사이에 팽팽한 대립이 시작된 것이다. 이러한 대립을 총과 대포 때문에 일어난 전쟁은 아니지만 '차가운 전쟁'이라는 뜻으로 '냉전'이라고 한다.

　소련은 제2차 세계 대전 때 독일의 수도 베를린을 향해 진군하면서 유럽의 동쪽에 있는 많은 나라들을 해방시켰다. 전쟁이 끝난 뒤 소련은 이 나라들에 공산주의 정권을 세워 나갔다. 아시아의 경우, 한반도의 북쪽에도 공산주의 정권을 세웠는데 바로 오늘날의 북한이다.

자본주의를 추구하는 미국에게 공산주의는 위험한 사상이었다. 더구나 유럽과 아시아에 공산주의 정권이 계속 들어선다는 것은 미국이 가장 바라지 않는 상황이었다.

1947년, 트루먼 대통령은 다음과 같이 선포하였다.

"미국은 자유 민주주의 정부를 무너뜨리려는 공산주의자들로부터 인류를 보호할 것입니다. 자유 민주주의를 지키려는 나라에게는 군사적인 지원도 아끼지 않을 것입니다."

트루먼 대통령의 선언 후 1948년, 미국은 마셜 플랜을 실시하였다. 마셜 플랜이란, 서유럽의 공산화를 막기 위해서 서유럽 국가에 경제적인 지원을 하는 정책이었다. 당시 서유럽 국가들은 전쟁이 끝난 뒤 경제적 어려움을 겪고 있었다.

미국이 경제적인 지원을 하겠다고 나선 것은 전쟁 후유증으로 서유럽의 경제가 빨리 회복하지 않을 경우, 동유럽에 이어 서유럽에도 공산주의가 침투할 가능성이 컸기 때문이다.

마셜 플랜은 미국 경제를 위해서도 좋은 계획이었다. 서유럽 경제가 정상을 되찾아야 미국에서 만든 상품을 팔 시장이 확보

동독과 서독의 경계에 있는 브란덴부르크 문은
냉전의 상징이기도 하다.

되기 때문이다.

실제 미국의 마셜 플랜은 성공했다. 미국이 유럽에 지원금을 주자 유럽 국가들은 이 지원금으로 미국의 기계와 물건을 사들여 미국은 호황

을 맞게 된 것이다. 1950년대가 되면서 서유럽 경제는 점점 좋아지기 시작했다. 그리하여 더 많은 미국의 상품이 서유럽으로 수출되었다.

1945년 이후 유럽은 자유 민주주의를 따르는 서유럽과 공산주의를 따르는 동유럽 국가들로 나눠졌다. 독일의 경우는 아예 나라가 서독과 동독 두 개로 나눠졌다. 냉전의 바람 속에서 한국도 독일과 같은 처지가 되고 말았다. 남한과 북한으로 나눠진 것이다.

냉전이 가장 심했던 시기는 1948년부터 1953년까지였다. 이때 소련은 미국에 이어 핵무기 개발에 성공했다. 미국은 소련에 맞서기 위해 1949년에 서유럽 국가들과 군사 동맹을 만들었다. 이것이 지금도 존재하고 있는 '나토(NATO, 북대서양 조약 기구)'다.

미국과 소련의 세력은 유럽에서만 대결한 것이 아니었다. 아시아에서도 미국과 소련은 팽팽하게 대립하였는데 가장 심하게 대립한 곳은 한반도였다. 결국 두 세력의 대립은 1950년 우리 한민족에게는 씻을 수 없는 상처로 남은 한국 전쟁이라는 비극을 낳고 말았다.

국제 연합(UN)

1945년 제2차 세계 대전이 끝난 뒤 만들어진 국제 평화 기구가 UN이다. 세계 평화 유지가 목적이며 2002년을 기준으로 191개국이 회원국으로 가입했다. UN 본부는 미국의 뉴욕에 있다.

미국을 휩쓴 반공주의

　제2차 세계 대전이 끝난 뒤 미국은 영국으로부터 독립한 이래 가장 강력한 적을 만나게 되었다. 바로 소련을 중심으로 한 공산주의라는 적이었다. 냉전 시대에 미국 정부와 국민들 상당수는 공산주의에 대한 두려움에 떨고 있었다.

　이러한 두려움은 미국에도 수많은 공산주의자가 활동하고 있을지 모른다는 의심을 불러일으켰다. 실제로 냉전 기간 동안 미국과 소련은 치열한 첩보 전쟁을 벌이고 있었다. 스파이들이 상대국에 몰래 들어가 정보를 얻는 정보 전쟁도 갈수록 치열해졌다.

　따라서 미국 정부는 모든 정부 공무원들을 대상으로 사상을 검증하기에 이르렀다. 만일 공산주의자가 아니더라도 무언가 의심이 가는 사람은 공무원 자리에서 해임하였다.

그러나 공산주의자를 가려 내는 일은 이것으로 끝나지 않았다. 국무부의 높은 관리가 스파이 혐의를 받고 재판정에 서기도 했던 것이다. 또 소련에 핵무기 관련 정보를 건네 준 혐의를 받은 한 부부가 간첩 혐의로 사형에 처해지기도 하였다.

1949년에 중국이 공산화되고 1950년에 한국 전쟁이 터지자 공산주의에 대한 미국인들의 적개심과 공포는 더욱 커졌다. 보수적인 특성을 가진 공화당은 반공주의를 들고 나와 경쟁자인 민주당을 누르고 여론을 주도하기 시작했다.

이 반공주의 운동에 앞장 선 사람 중에 공화당 상원 의원

중국 인민들이 중화 인민 공화국을 세운 마오 쩌둥의 사진을 들고 있다.

매카시즘의 바람을
일으킨 미국의 정치가
매카시

조지프 매카시가 있었다. 그는 미국의 외교를 담당하는 국무부에 공산주의 첩자가 가득하다고 주장하였다. 매카시는 첩자에 대한 증거를 가지고 있지도 않았다. 하지만 누구든 의심가는 사람은 공산주의자로 몰아붙였다.

공산주의에 대한 두려움에 휩싸인 수많은 사람들이 매카시의 말을 믿었다. 공산주의자를 색출하던 매카시는 한동안 미국에서 가장 인기 있는 정치인이 되었다. 이 광적인 반공주의 운동을 '매카시즘' 이라고 한다.

매카시즘이 최고조에 달했을 때는 유명한 정치인도 공산주의자로 내몰렸다. 또한 유명한 영화 배우 중에도 공산주의자로 내몰린 사람이 있었다. 대표적인 사람이 희극 영화의 스타였던 찰리 채플린이었다. 매카시는 심지어 높은 계급의 장교까지 간첩으로 몰았다.

과연 매카시의 주장대로 군대의 장교들까지 간첩이었던 것일까? 이 사실을 밝혀 내기 위해 미국 국회에서 청문회가 열렸다. 미국의 모든 사람들이 텔레비전을 주목했다.

그러나 청문회가 진행되는 동안 대부분의 미국 국민은 매카시가 아무런 증거도 없이 상대방을 공산주의자로 몰고 있다는 것을 깨달았다. 얼마 안 가 여론은 역전이 되었다. 매카시를 영웅으로 떠받들던 여론과 많은 국민들이 매카시를 비난하기 시작한 것이다. 결국 미국 국회는 그의 국회 의원직을 박탈하였다. 이로써 한때 미국 사회를 휩쓴 공산주의자 색출 운동은 끝이 났다.

CIA(미국 중앙 정보국)
국가적인 차원의 정보를 수집하고 첩보 활동을 하기 위해 미국이 제2차 세계 대전 후 만든 조직이다. 냉전 시대에는 공산주의에 관한 정보를 수집하는 데 앞장 선 기관이었다.

제3차 세계 대전의 위기

쿠바 미사일 위기 : 1962년

미국의 적인 공산주의는 유럽, 아시아에만 침투한 것이 아니었다. 미국이 오랫동안 맏형, 때로는 경찰 노릇을 해 오던 중앙아메리카와 남아메리카 대륙에서도 공산주의 운동이 일어났다.

실제 공산주의 혁명이 성공해서 공산주의 정부가 들어선 나라도 있었다. 오랫동안 미국이 지배했던 서인도 제도의 섬나라 쿠바였다.

1959년, 카스트로와 체 게바라를 지도자로 하는 공산주의자들이 미국의 지원을 받던 쿠바 대통령을 몰아 내고 새로운 정부를 세운 것이다. 쿠바 정부는 공산 혁명에 성공한 뒤 미국인이 가지고 있던 땅과 기업을 몰수해 국가의 것으로 삼았다.

쿠바의 공산화는 오랫동안 쿠바를 지배했던 미국에게는 충격

적인 일이었다. 소련이나 중
국 같은 공산주의 국가는 힘
은 세지만 미국과 거리가 먼
곳에 있는 나라였다. 그러나
쿠바는 미국의 코앞에 있는
나라였기 때문에 미국에게
는 매우 큰 고민거리였다.

1960년, 존 F. 케네디
가 미국의 대통령에 당선되
었다. 1961년, 케네디는 쿠
바와 국교까지 완전히 단절

체 게바라와 함께 혁명을 주도하여 쿠바를
공산화시킨 카스트로

하였다. 또한 이 해에 미국의 몇몇 기업은 카스트로에 쫓겨 미
국으로 도망 온 쿠바 사람들을 부추겨서 쿠바 침공까지 시도하
였다. 그러나 이 작전은 실패로 돌아갔다. 이 사건 때문에 미국
은 큰 창피를 당했고 쿠바를 후원하던 공산주의 강국 소련은 크
게 분노하였다.

1962년 10월, 미국에게 더 큰 위기가 찾아왔다. 소련이 쿠바
에 장거리 핵미사일 기지를 만들려고 한 것이다. 만약 쿠바에
미사일 기지가 건설되면 미국의 주요 도시들은 핵폭탄의 공포에

떨게 될 것이 분명했다. 미국으로서도 가만히 있을 수가 없는 일이었다.

케네디 대통령은 즉각 국가 안보 회의를 소집하였다. 오랜 회의 끝에 미국은 미사일 재료를 실은 소련의 배가 쿠바 주변의 바다에 들어오지 못하게 미국 군함과 비행기를 보내 바다를 봉쇄할 것이라고 발표했다. 이 소식을 들은 소련은 쿠바에 건설하려는 것은 공격용 미사일 기지가 아니라 방어용 기지라고 주장했다.

양측의 주장이 팽팽한 가운데 미사일 재료를 실은 소련의 배는 점점 쿠바 근처로 다가오고 있었다. 이때 쿠바를 순찰하던 미국 비행기 한 대가 추락하는 사고까지 일어났다.

미국 군대 전체에는 비상 사태가 선포되었다. 많은 사람들은 미국과 소련이 맞

미국 대통령에 당선된 존 F. 케네디는 소련이 쿠바에 미사일 기지를 세우지 못하도록 강력하게 대응하였다.

붙어 싸우는 제3차 세계 대전이 가까워졌다고 불안해했다. 미국의 장군들 중 몇몇은 소련이 쿠바에 미사일 기지 건설을 마치기 전에 비행기를 보내 파괴하자고 주장했다.

당시 소련의 지도자는 흐루시초프였다. 이 위기의 2주일 동안 케네디 대통령과 흐루시초프 공산당 서기장 사이에는 몇 차례 긴급 전보가 오고 갔다. 케네디는 흔들림이 없이 미사일 기지 폐쇄를 요구했다. 미국 못지않게 전쟁을 원치 않았던 소련은 결국 케네디의 요구 앞에 무릎을 꿇었다.

미국과 소련의 합의로 쿠바 미사일 기지는 폐쇄되었다. 쿠바를 봉쇄했던 미국의 군함들도 다시 본국으로 돌아갔다. 미국인은 물론 세계인을 공포에 떨게 했던 2주일간의 쿠바 미사일 위기는 이렇게 끝이 났다.

이 일을 계기로 미국과 소련의 관계는 오히려 개선이 되었다. 강하게 대립하는 것이 서로에게 도움이 되지 않는다는 것을 쿠바 위기 사

미국과 카스트로
1960년대 이후 미국은 대통령이 많이 바뀌었지만 쿠바는 여전히 쿠바 혁명을 성공시킨 카스트로가 국가 지도자 자리에 있다. 카스트로는 아직도 쿠바에서 사회주의 정책을 펴고 있다.

태를 통해 깨달은 것이다. 미국과 소련은 또다시 이런 위기가 닥칠 경우, 한시라도 빨리 지도자들끼리 의논을 하기 위해 미국 워싱턴의 백악관과 소련 모스크바의 크레믈린을 연결하는 전화를 개통하였다. 사람들은 두 나라 정상 간의 이 직통 전화를 '핫 라인'이라고 불렀다.

소련에 맞서 당당하게 쿠바 위기를 해결한 케네디 대통령은 미국은 물론 세계 자유 민주주의 국가 국민들의 영웅이 되었다. 그러나 1963년, 선거 유세를 하기 위해 텍사스를 방문했던 그는 댈러스에서 오스왈드라는 괴한이 쏜 총에 맞아 살해되고 말았다.

흑인 인권 운동

시민권법 국회 통과 : 1964년

링컨 대통령이 노예 해방 선언을 한 지 100년이 넘은 뒤에도 미국에서 흑인의 완전 해방은 이루어지지 않고 있었다. 백인들이 흑인에 대해 갖고 있던 인종적인 편견은 사라지지 않았고 많은 흑인들이 차별 대우를 받아야 했다. 특히 노예 제도 폐지를 끝까지 반대했던 남부 지방에서의 흑인 차별은 더 심했다.

대표적인 예가 흑인은 백인과는 다른 학교에 다녀야 한다는 차별이었다. 또 남부의 도시들 가운데는 버스를 탈 때도 백인은 앞문으로, 흑인은 뒷문으로 타야 하는 곳도 있었다. 심지어 공원의 수도꼭지도 흑인 전용과 백인 전용으로 구분하였다.

그나마 다행이었던 것은 아이젠하워가 대통령을 지내던 1954년, 미국 대법원이 내린 역사적인 판결이다. 공립 학교에서 흑인을 차별하는 것은 미국의 헌법을 위반하는 행위라는 판결이었다. 그러나 연방 대법원의 판결에도 불구하고 남부의 몇몇 주는 법원의 판결을 들은 체 만 체했다.

그러나 1960년대에 들어서면서 변화의 바람이 불기 시작했다. 과거에도 노예 제도에 저항한 흑인이 있었고 흑백 차별에 저항한 흑인 단체도 있었다. 그런데 1960년대에 접어들면서 흑인들은 과거보다 훨씬 조직적, 적극적으로 흑인의 인권을 향상시키기 위한 운동을 벌였다.

이 시기에는 흑인 인권 운동만 널리 퍼진 것이 아니었다. 여성들도 그 동안 남성들로부터 받은 차별을 철폐하기 위해 대대적인 여성 해방 운동을 펼쳤다. 1960년대의 미국은 개혁의 시대였던 것이다.

흑인 인권 운동에
앞장 선 킹 목사

흑인 인권 운동은 두 개의 파로 나뉘졌다. 폭동을 일으켜서라도 흑인 인권을 빨리 향상시켜야 한다는 급진파와, 비폭력적인 방법으로 흑인 인권 운동을 벌이자는 온건파였다.

대부분의 흑인은 물론 일부 백인들로부터도 지지를 받은 것은 비폭력적인 방법을 통한 인권 운동이었다. 이 온건파 흑인 인권 운동의 지도자는 마틴 루터 킹 목사였다. 킹 목사가 지휘하는 흑인 인권 운동은 미국 각지로 퍼져 1963년에는 미국의 전 지역에서 흑인 수십만 명이 워싱턴에 모여 거리를 행진하며 흑인 인권 향상을 요구하였다.

흑인 인권 운동을 위해 워싱턴에 모인 군중(위)과 존슨 대통령과 회담하는 흑인 지도자들(아래, 왼쪽에서 세 번째가 킹 목사)

이 때, 킹 목사는 '나에게는 꿈이 있습니다' 라는 유명한 연설을 했다. 흑인들은 '우리 승리하리라' 라는 노래를 부르며 워싱턴 거리를 평화 행진하였다. 이 집회에는 흑인 인권 운동에 찬성하는 백인들도 참석하였다.

킹 목사와 인권 운동가들의 노력은 결실을 맺었다. 1964년, 미국 사회 안에서 흑인에 대한 모든 차별을 철폐할 것을 정한

'시민권법'이 국회에서 통과한 것이다. 이 일은 링컨의 노예 해방 못지않은 의미 있는 사건이었다. 이 해에 킹 목사는 노벨 평화상을 받았다.

이 무렵 미국은 아시아에서 공산주의 세력이 커지는 것을 막는다며 베트남에서 공산주의 군대인 북베트남과 전쟁을 벌이고 있었다. 평화주의자였던 킹 목사는 미국이 베트남 전쟁에서 수많은 생명을 죽이는 것은 의미가 없다면서 전쟁 반대 성명을 냈다.

미국은 전통적으로 국가의 이익이 걸린 일에는 굳세게 단결하는 경향이 있다. 베트남 전쟁 때도 전쟁 초반기에는 전쟁에 참가해 공산주의를 몰아 내자는 여론이 높았다.

그런데 킹 목사가 전쟁 반대를 선언하자 킹 목사를 지지하던 일부 백인들은 킹 목사를 비난하기 시작했다. 그 틈을 타 급진적인 흑인 운동이 세력을 키웠다. 그리고 1968년 4월, 테네시 주에서 행사를 준비하던 킹 목사는 백인

히피

히피는 1960년대 중반 미국에서 생겨난 특이한 스타일을 가진 집단이다. 어떤 제도에 얽매이지 않고 자유롭게 살기를 바라는 이 사람들을 '히피족'이라고 불렀다.

우월주의자가 쏜 총에 맞아 암살을 당하고 말았다.

　킹 목사의 죽음은 미국 사회의 큰 비극이었다. 그가 죽은 뒤 햇불처럼 타오르던 흑인 인권 운동도 주춤하였다. 그러나 시간이 흐르면서 킹 목사가 벌인 평화적인 인권 운동은 높은 평가를 받았다. 그는 지금도 미국의 훌륭했던 대통령 못지않은 위인으로 존경을 받고 있다.

미국이 당한 최초의 패배

베트남 전쟁 : 1964~1975년

쿠바 위기를 넘긴 미국에 다시 전쟁의 그림자가 드리워졌다. 무대는 과거 프랑스의 지배를 받았던 아시아의 나라 베트남이었다.

베트남의 역사는 매우 슬펐다. 오랫동안 프랑스의 지배를 받았던 베트남은 제2차 세계 대전 때는 잠시 일본의 지배를 받았고, 일본이 전쟁에 패하여 물러나자 다시 프랑스 군대가 돌아와 베트남을 지배했다.

그러나 민족적인 자존심이 강한 베트남 사람들은 공산주의자들과 힘을 합쳐 독립 운동을 벌였다. 1954년, 마침내 베트남은 프랑스를 몰아 내는 데 성공하였다. 하지만 베트남에도 우리 나라와 같은 비극이 찾아왔다.

자유 민주주의를 지지하는 남부 베트남과 공산주의를 지지하는 북부 베트남으로 분열이 된 것이다. 남베트남은 사이공에, 북베트남은 하노이에 따로 자신들의 수도를 세웠다.

베트남은 미국에게 있어 아시아에서 자신들의 세력을 유지하는 데 매우 중요한 위치에 있는 나라였다. 미국은 걱정스럽게 베트남을 지켜 보고 있었다. 미국이 가장 걱정한 것은 '도미노 이론'이었다.

도미노는 하나를 쓰러뜨리면 그 뒤에 있는 조각들이 줄지어 넘어지는 놀이를 말한다. 도미노처럼 한 나라가 공산화되면 다른 나라들도 연쇄적으로 공산화가 된다는 것이 도미노 이론이다. 즉 베트남이 공산화가 될 경우, 그 이웃의 여러 나라들도 동시에 공산화될 수 있다는 것이었다.

미국은 자유 민주주의의 남베트남에 지원을 시작했다. 군사 물자를 지원하는 것으로도 상황이 나아지지 않자 미국은 군인들까지 보냈다. 그러나 아직 전쟁은 시작되지 않은 상황이었다.

그런데 1964년, 베트남의 통킹 만이라는 곳에서 미군의 군함이 북베트남으로부터 공격을 당하는 사건이 발생했다. 미국은 이를 구실로 북베트남에 대한 전쟁을 선포했다.

2년도 안 돼서 20만 명에 가까운 미군이 베트남으로 보내졌다. 1968년에는 무려 53만여 명의 미군이 북베트남 군사들과 싸웠다. 미국은 무기에서 북베트남을 훨씬 앞서고 있었다. 게다가 미국 옆에는 남베트남군이 있었고, 한국 정부에도 베트남에 군대를 보내 줄 것을 요구해서 한국군도 베트남에 파견되어 미군을 돕고 있었다.

그런데도 미군은 북베트남 군대를 쉽게 몰아 내지 못했다. 베트남의 정글에 익숙한 북베트남 군사들은 기습 공격을 하고 뒤로 재빠르게 후퇴하는 게릴라 공격으로 미군을 괴롭혔다. 또 남베트남에는 부패한 지도자들이 많아 정치적으로 불안정했던 반면, 북베트남에는 호치민이라는 훌륭한 지도자가 있었다.

북베트남의 지도자
호치민

1964년에 시작된 전쟁은 1970년이 되어도 끝나지 않았다. 수많은 미군이 전쟁터에서 목숨을 잃었다. 미국은 북베트남에 타격을 주기 위해 밀림 지대의 풀과 나무를 말려 죽이는 고엽제 공격을 하기도 했다. 그러나 효과는 크지 않았다. 고엽제는 병사들은 물론 베트남 국민들에게도 큰 피해를 주었다. 우리 나라 군인들도 베트남 전쟁에 참가했다가 고엽제 때문에 후유증을 앓는 사람들이 많이 나타났다.

전쟁이 쉽게 끝나지 않고 또 수많은 젊은이가 전쟁터에서 죽어 가자 미국에서는 전쟁에 반대하는 반전 운동이 일어났다. 반전 운동은 해가 갈수록 더해졌다. 많은 대학생들이 반전 데모를 하다가 데모를 진압하러 온 군인들이 쏜 총에 맞아 죽는 사고까지 발생했다.

미군의 비행기가 베트남 상공에서 고엽제를 살포하는 모습

베트남 전쟁을 지휘했던 미국의 대통령은 케네디 대통령과 케네디가 암살된 뒤 대통령에 오른 존슨이었다. 1968년, 또다시 대통령 선거에 나선 존슨은 전쟁을 빨리 끝낼 것을 주장하는 공화당의 닉슨 후보에게 패배하였다.

닉슨은 선거 때 국민에게 약속한 대로 전쟁을 끝내기 위해 북베트남에 있는 미군을 단계적으로 철수하겠다고 제안했다. 그러나 북베트남은 한꺼번에 모든 미군을 철수시킬 것을 주장했다. 그러자 전쟁을 쉽게 끝내지 못하는 닉슨의 인기도 점점 떨어졌다. 결국 1972년, 미국은 북베트남과 전쟁을 끝내기 위한 회담

베트콩에게 공격을 받아 부서진 미군의 탱크

을 시작했고 전쟁은 1973년 1월에 공식적으로 끝이 났다.

베트남은 북위 17°선을 경계로 남베트남과 북베트남으로 나눠졌다. 미군은 1973년에 모두 철수되었다. 미국이 10년 동안의 전쟁으로 잃은 병사의 수는 모두 4만 7,000여 명이었다.

베트남 전쟁은 미국이 패한 최초의 전쟁이었다. 베트남 전쟁의 패배로 미국은 영원히 초강대국일 수 없음을 스스로 증명한 셈이 되었다.

미군이 철수한 뒤 남베트남과 북베트남 사이에 다시 전투가 벌어졌다. 미국을 이긴 북베트남은 사기가 매우 높아져 있었다. 반대로 오랫동안 미국의 보호 아래 살아온 남베트남은 북베트남의 적수가 될 수 없었다. 결국 1975년 4월 30일, 남베트남은 항복을 선언했고, 1976년 북베트남은 하노이를 수도로 하는 통일 정부를 수립하였다.

우주 시대의 개막

아폴로 11호의 달 착륙 : 1969년

1961년, 케네디 대통령은 세계가 깜짝 놀랄 만한 계획을 발표했다. 우주선을 발사해 인간을 달에 보내겠다는 아폴로 계획이었다. 아폴로는 달에 발사할 우주선의 이름이었다.

"과연 인간이 달에 갈 수 있을까?"

대부분의 사람들은 그것이 불가능하다고 생각하였다.

그러나 꿈은 이루어졌다.

1969년, 닐 암스트롱 등 3명의 우주 비행사를 태운 아폴로 11호가 미국의 우주 기지 센터를 이륙하였다. 우주선은 사흘간 우주 비행을 하여 마침내 달에 도착하였다.

7월 20일, 암스트롱은 착륙선의 문을 열고 달에 첫발을 내디뎠다. 6억 명이 넘는 세계인들이 이 장면을 텔레비전으로 지켜

달을 탐사하고 있는 우주 비행사 올드린

보고 있었다. 최초로 인류 앞에 모습을 드러낸 달은 크고 작은 돌과 분화구가 있는 황무지였다.

달 표면에서 우주 비행사의 걸음걸이는 지구와 달랐다. 달은 지구보다 중력이 훨씬 낮기 때문에 우주 비행사는 헤엄치듯 달 표면을 걸어다녔다. 암스트롱은 달 표면에 미국 깃발을 꽂았다.

미국이 가장 먼저 달에 우주선을 착륙시킬 수 있었던 데에는 소련의 공이 컸다. 소련의 앞선 우주 과학 기술이 미국에게 위기감을 불러일으켰기 때문이다. 인류 최초로 우주 공간에 인공 위성을 쏘아올린 것은 미국이 아니라 소련이었다. 1957년, 스푸트니크 1호를 성공적으로 발사한 것이다.

소련이 인공 위성 발사에 성공했다는 소식은 미국에게 충격이었다. 미국은 스스로 과학 분야에서도 세계 최고라고 자부해 왔는데, 소련이 미국의 코를 납작하게 해 버린 것이다. 케네디 대

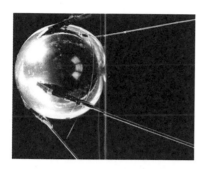

소련이 쏘아올린 최초의
인공 위성 스푸트니크 1호

통령이 아폴로 계획을 세운 것도 소련을 제치고 다시 우주 과학 분야의 최강대국이 되겠다는 야심을 드러내 보인 것이라 할 수 있다.

오늘날 미국은 달에 더 이상 우주선을 보내지 않고 있다. 대신 미국은 1980년대부터 화성에 무인 우주선을 보내는 데 온 힘을 기울였다.

우주 비행사의 달 착륙에 대해서는 일부 과학자들에 의해 의문이 제기되기도 했다. 달에 착륙할 경우 우주 공간의 방사능 때문에 살아서 돌아오기 힘들며, 1969년의 달 착륙 사진은 조작된 것이라는 주장이었다. 그러나 의문을 제기하는 과학자들도 달 착륙이 조작된 것이라는 확실한 증거는 내놓지 못하고 있다.

나사(NASA)

미국 항공 우주국을 줄인 말로, 아폴로 계획을 추진한 기관이다. 나사는 1958년에 만들어진 조직으로 본부는 미국 워싱턴에 있다. 사람이 타고 가는 우주선의 발사 기지는 휴스턴이라는 도시에 있다.

데탕트 시대의 개막

미국과 중국의 국교 수립 : 1972년

20여 년간 미국은 공산주의 국가들과 냉전 속에 대립했다. 그런데 1970년대가 밝으면서 미국은 물론 소련도 지나친 냉전이 자신들 국가에 도움보다 해로운 게 많다는 사실을 깨닫게 되었다. 예를 들어, 냉전이 심해지면 군사비에 들어가는 돈이 많아져서 다른 일에 쓸 국가 예산이 부족해진다.

또 하나의 심각한 문제는 핵무기였다. 냉전 시대에 소련은 물론 영국과 프랑스, 중국도 핵무기를 가지게 되었다. 인류는 시간이 갈수록 핵무기에 대한 두려움에 떨어야 했다. 핵무기가 많은 미국과 소련 국민의 두려움은 다른 나라 국민보다 더했다. 이런 이유 때문에 미국은 공산주의 국가들과 화해하는 정책을 펴기 시작하였다.

미국이 처음 접근한 나라는 공산당 지도자 마오 쩌둥이 다스리던 중국이었다. 미국 대통령 닉슨과 외교를 담당하던 키신저 국무 장관은 정치적인 협상을 하기 전에, 미국의 국가 대표 탁구 팀

미국의 닉슨 대통령(오른쪽)과 국무 장관 키신저(왼쪽)가 미소 정상 회담을 앞두고 이야기를 나누고 있다.

을 보내 중국 팀과 친선 시합을 가졌다. 이 시합은 미국과 중국 사이에 화해의 분위기를 전파시켰다. 그래서 닉슨의 외교를 탁구 외교, 즉 '핑퐁 외교'라고 했다.

분위기가 무르익자 닉슨 대통령은 중국을 방문해서 국교 수립 협정을 맺었다. 당시 중국은 미국과 유럽 나라들에게 폐쇄적이어서 '죽의 장막(대나무 장막)'이라고 불렸는데, 중국이 마침내 세계의 외교 무대에 나선 것이다.

미국과 중국의 외교 관계 정상화는 소련에게도 놀라운 일이었다. 인구가 많은 중국은 같은 공산주의 국가로서 소련의 강력한 경쟁자였는데, 중국이 미국과 가까워질 경우 소련의 위치는 흔

들릴 수 있었다.

그리하여 소련은 미국과 핵무기를 줄이는 협정을 맺었다. 이렇게 냉전의 분위기가 가라앉게 된 시기를 '데탕트 시대'라고 한다.

미국과 소련이 핵무기를 줄이기로 협상을 맺었지만 이 일로 두 나라가 친해진 것은 아니었다. 외교 무대에서 여전히 미국과 소련은 사사건건 부딪치는 일이 많았다.

그런데 1979년, 미국과 소련의 데탕트 기운을 완전히 사라지게 한 사건이 일어났다. 소련이 인도 북부에 있는 아프가니스탄에 군대를 보내 이 곳을 점령해 버린 사건이다.

미국은 소련이 아프가니스탄에서 철수할 것을 요구했다. 소련이 요구를 거절하자 미국은 소련에 식량을 수출하는 것을 금지시켰다. 또 그 동안 진행해 오던 2차 핵무기 감축 협정을 무효화했다.

1980년, 소련의 수도 모스크바에서 올림픽이 열렸는데 미국은 소련의 아프가니스탄 침략에 항의하는 뜻으로 이 올림픽에 불참하였다. 미국 외에 미국의 입김이 두려운 여러 나라들도 이 올림픽에 불참해서 모스크바 올림픽은 반쪽 올림픽이 되고 말았다.

워터게이트 사건

1972년, 미국에서는 대통령이 임기가 끝나기 전에 스스로 물러나는(사임) 사건이 벌어졌다. 사건의 주인공은 핑퐁 외교를 성공시킨 닉슨 대통령이다.

닉슨은 1972년 대통령 선거에 다시 출마할 계획이었다. 문제는 당시 닉슨의 인기가 별로 높지 않아 선거 경쟁 상대인 민주당 후보를 이길 가능성이 낮았다는 점이다.

이 무렵 전직 정보부 요원들이 민주당의 선거 본부에 몰래 들어가서 도청 장치를 설치한 사실이 두 신문 기자에 의해 밝혀졌다. 그런데 이 도청 음모를 닉슨도 미리 알고 있었다는 사실이 발각되었다. 이를 '워터게이트' 사건이라 한다.

처음에 닉슨은 이 사실을 부인하였다. 그러나 시간이 지나면서 닉슨이 증거를 숨기려 했다는 사실까지 드러났다. 대통령에게 법적인 책임을 물어 해임(탄핵)시킬 권리가 있었던 미국 국회는 대통령의 탄핵을 의논하기 시작했다. 자신이 탄핵을 당할 것이 분명해지자 닉슨은 결국 스스로 대통령 자리에서 물러났다.

흔들리는 미국의 힘

이란 인질 사건 : 1979년

미국은 제2차 세계 대전에서 승리한 뒤 그 누구도 넘보지 못하는 세계 최강대국이 되었다. 따라서 작은 나라가 미국에 대항한다는 것은 상상도 못 할 일이었다.

그러나 1970년대 데탕트 시대를 지나면서 사정이 달라졌다. 세계의 여러 나라들이 지역별로 동맹을 만들었던 것이다. 또 곳곳에서 미국의 제국주의 정책을 비판하는 데모가 일어났다. 반미 시위에 앞장 선 사람들은 주로 대학생들이었다. 한국도 마찬가지였다.

닉슨에 이어 미국 대통령이 된 사람은 지미 카터였다. 카터는 오랫동안 전쟁이 끊이지 않았던 이스라엘과 이집트의 관계를 정상화시키는 업적을 세웠다. 다시 세계의 평화를 수호하는 미

이스라엘과 이집트의 관계를
정상화시키는 데 앞장 섰던
카터 대통령(사진 왼쪽, 오른쪽은
이집트의 사다트 대통령)

국의 권위가 올라가는 듯한 분위기
였다.

그러나 미국은 생각지도 못한 도
전을 받았다. 이란에서 미국 대사
관 인질 사건이 벌어진 것이다.

이슬람 국가인 이란은 원래
팔레비 왕이 다스리던 나라였다.
팔레비 왕은 미국의 경제적, 군사
적 후원을 등에 업고 독재 정치를
실시해서 이란 국민들로부터 큰 불
만을 샀다. 그리하여 1979년, 이란에서는 이슬람 지도자가 이
끄는 혁명이 일어났다. 팔레비 왕은 황급히 외국으로 도망쳤는
데 그가 도망간 곳은 오랫동안 자기를 지지해 준 미국이었다.

이란은 미국에게 팔레비 왕을 이란으로 돌려 보내 줄 것을 요
구했다. 그런데 미국이 팔레비 왕을 받아들이자 이란 국민들은
분노하였다. 급기야 이란의 수도 테헤란의 시민들은 미국 대사
관에 쳐들어가 58명의 미국인을 인질로 붙잡았다. 시민들은 팔
레비를 이란으로 돌려 보내지 않으면 미국 인질을 절대 풀어 주
지 않겠다고 선언했다.

미국의 후원을 등에 업고 독재 정치를
펴 이란의 반정부 혁명을 불러일으킨
팔레비 왕

미국은 이 제안을 거절했다. 오히려 이란과의 무역을 금지하는 등 이란에 압력을 넣었다. 이란은 이란대로 미국의 압력에 꼼짝도 하지 않았다.

미국은 인질을 구출하기 위해 비밀리에 군사 작전 계획을 세웠다. 특공대가 탄 비행기를 이란의 미국 대사관에 보내서 인질들을 구출한다는 작전이었다. 그러나 이 작전은 대실패로 끝났다. 1980년 4월, 특공대를 태운 비행기가 대사관에 도착하기도 전에 엉뚱한 지점에서 추락하고 만 것이다.

이 사건으로 인해 카터 대통령은 궁지에 몰렸다. 그리고 미국의 위신은 땅에 떨어지고 말았다. 이슬람교를 믿는 중동의 국가들은 협상 대신 비밀 군사 작전을 벌이려 한 미국을 일제히 비난했다.

58명의 인질이 풀려난 것은 대통령 선거에서 카터를 이긴 레이건이 대통령이 된 다음이었다. 미국 대사관에 인질로 있던 미국인들은 정확히 444일 만에 자유의 몸이 되었다.

레이건의
불법 무기 거래

이란-콘트라 사건 : 1981년

카터에 이어 대통령이 된 사람은 젊은 시절 할리우드에서 영화 배우를 했던 레이건이었다. 레이건은 인권을 중시했던 카터와는 달리, 미국의 힘을 키워 다른 나라를 미국 뜻대로 따라오게 하는 정책을 폈다. 자연히 미국은 더 많은 예산을 무기를 개발하는 데 사용하였다.

레이건은 또 세금을 깎는 정책, 즉 감세 정책을 폈다. 세금을 낮추자 레이건의 인기는 크게 올랐다. 그러나 세금 정책을 통해 큰 혜택을 받는 사람은 돈이 많은 사람과 기업뿐이었다.

힘에 의한 위대한 미국의 재건을 꿈꾼 레이건

결국 레이건이 대통령으로 있는 동안 미국 정부의 예산은 늘 적자가 되었다. 미국 정부는 이 적자를 메우기 위해 정부가 보증하는 채권을 팔며 겨우 위기를 벗어났지만, 이 때부터 미국 정부는 늘 예산이 적자인 상태를 면하지 못하게 되었다.

닉슨 대통령이 워터게이트 사건으로 곤욕을 치른 것처럼 레이건도 비밀리에 벌인 사건 때문에 궁지에 몰리게 되었다. 바로 이란─콘트라 사건이다.

레이건 대통령 시절, 남아메리카의 곳곳에는 공산주의에 찬성하는 사회주의 국가가 잇따라 들어섰다. 그 중에는 니카라과라

는 나라도 있었는데 공산주의자들로부터 권력을 빼앗긴 니카라과 사람들은 콘트라라는 무력 조직을 만들었다.

미국은 남아메리카에 공산주의가 번져 가는 것을 막는다는 구실로 콘트라에 자금을 지원하기 시작했다. 그러나 미국 국민들은 레이건의 정책에 반기를 들었다. 과거 베트남 전쟁 때처럼 공연히 다른 나라 전쟁에 휘말려 또다시 수많은 젊은이들이 죽는 상황이 닥치지 않을까 걱정했기 때문이다. 여론에 밀린 레이건 정부는 콘트라에 대한 지원을 중단할 수밖에 없었다.

그런데 레이건 정부가 콘트라 지원을 중단하겠다고 말한 것은 거짓이었다. 그 뒤에도 국민들 모르게 지원을 한 것이다. 이 사실이 밝혀진 것은 몇 년이 지난 뒤였다.

한편 1980년, 이란은 국경을 마주하고 있는 이라크와 전쟁을 벌였다. 전쟁에서 이기기 위해 이란은 과거 적대적인 관계였던 미국으로부

게이트(Gate)

게이트는 원래 전자 공학 분야의 용어다. 그런데 요즘은 정치적인 스캔들이 일어났을 때 그 뒤에 붙는 말로 사용이 되고 있다. 미국 대통령들은 재임하는 동안 이런저런 게이트에 휘말릴 때가 많았다.

터 무기를 수입하였다. 세계 최대의 무기 수출국인 미국은 과거 자기 나라 사람들을 444일 동안 인질로 잡아 두었던 이란에 몰래 무기를 팔았던 것이다. 일반 국민들 입장에서는 도저히 이해할 수 없는 거래였다.

레이건 정부는 이란에 무기를 수출해 생긴 이익금 1,200만 달러를 국민들 몰래 콘트라에게 지원했다. 이 사실은 1989년이 되어서야 밝혀졌다. 미국 국민들은 이 사건으로 워터게이트 사건 못지않은 충격을 받았다.

이란에 비밀리에 무기를 팔고 또 그 돈으로 콘트라를 지원하는 일을 실질적으로 지휘한 사람은 레이건이 이끄는 국가 안보 회의 소속의 노스 중령이었다. 노스는 곧 의회에서 여는 청문회에 끌려 나와야 했다.

"이 일은 모두 내가 주도한 일이다. 레이건 대통령은 이런 사실을 전혀 몰랐으므로 책임이 없다."

국회 청문회에서 노스 중령은 이 사건이 끝까지 자기가 책임을 지고 한 일임을 주장했다. 노스가 레이건에 대해서 입을 꾹 다물었기 때문에 레이건은 계속 대통령 자리를 지킬 수 있었다. 그러나 이 사건은 미국 정부가 국민들을 속이고 비밀리에 한 거래를 통해서 자금을 모은 사건이 분명하였다.

새로운 세계의 질서

"소련은 이제 더 이상 공산주의 국가들의 수호자가 아닙니다."

1989년, 소련의 최고 지도자였던 고르바초프는 이렇게 선언했다. 이 말은 1945년 제2차 세계 대전이 끝난 뒤 미국과 소련이 지배하던 세계 질서를 변화시키는 엄청난 선언이었다.

고르바초프가 소련 최고 지도자 자리에 올랐을 때, 소련은 경제적으로 매우 어려운 상황을 맞고 있었다. 수십 년 동안 사회주의 정책을 폈던 것에 대한 부작용이 나타나 국민들의 살림살이는 갈수록 어려워지고 경제 사정도 나빠지고 있었다.

고르바초프는 소련이 되살아나기 위해서는 개방과 개혁 정책을 펴야 한다고 확신했다. 또 소련의 경제를 휘청거리게 하는

소련을 비롯한 동유럽 국가들의 민주화에 공헌한
고르바초프(오른쪽)와 당시 미국의 부시 대통령(왼쪽)

주변 공산주의 국가들에 대한 지원도 줄여야 한다고 확신했다. 위의 선언은 이런 배경에서 나온 것이다.

그러자 과거 소련의 힘에 눌려 사회주의 정책을 실시했던 동유럽의 공산주의 국가들에서 민주화 운동이 일어나기 시작했다. 폴란드에서 처음 시작된 자유주의 운동은 고르바초프의 선언이 있은 뒤 거센 불길처럼 동유럽 국가들 사이로 번져 나갔다.

얼마 안 가 동유럽 공산주의 정권이 하나 둘 무너졌다. 자유에 대한 동유럽 국민들의 요구가 너무나 거셌기 때문에 대부분의 동유럽 국가들은 피를 흘리지 않고 공산주의 정권을 민주적인 정권으로 바꾸는 데 성공했다.

그러나 루마니아는 예외였다. 국민들의 민주화 요구를 거절했던 루마니아의 공산주의 지도자는 결국 국민들의 손에 의해 죽음을 당하고 말았다. 우리 나라의 38°선처럼 독일을 동독과 서

독으로 나누던 베를린 장벽도 무너지고 말았다. 얼마 안 가 독일은 통일 국가로 다시 탄생하였다.

소련은 이 과정에서 나라 이름이 러시아로 바뀌었다. 과거 소비에트 연방, 즉 소련에 속해 있던 수많은 나라들도 이 때 독립국이 되었다. 우크라이나, 라트비아, 우즈베키스탄 등 수많은 나라들이 그들만의 독립 국가를 세운 것이다.

무너지는 베를린 장벽

동유럽에서 일어난 이 급격한 변화는 미국에게도 충격을 주었다. 많은 미국인들은 이제 소련이 사라졌으므로 미국이 세계 유일의 강대국이 되었다고 자랑했다. 실제 미국에 대항할 만큼 강한 나라는 지구상에 없었다.

그러나 세계 대부분의 사람들은 소련이 없어졌다고 미국이 세계 최강대국 자리를 되찾은 것은 아니라고 생각하였다. 또한 미국이 자유 민주주의를 수호하는 정의로운 나라라고 생각하는 사람도 거의 없었다. 실제로 소련이 붕괴한 뒤에도 미국은 여러 차례 다른 나라의 저항을 받았다. 대표적인 나라가 이라크다.

이라크는 미국과 두 번이나 전쟁을 치렀다. 미국은 2차 전쟁 때 이라크의 독재자 사담 후세인을 대통령 자리에서 몰아 냈지만 여전히 이라크의 많은 국민이 미국의 지배에 테러 등으로 저항하고 있다. 최근에는 북한과 이란이 핵무기 문제를 둘러싸고 미국과 팽팽하게 대립을 하고 있다.

그린 카드

과거 많은 사람들이 미국으로 이민을 가려고 했다. 또한 불법으로 미국에 간 사람도 많았다. 미국 정부는 미국 땅에 영원히 거주할 수 있는 사람에 대해 초록색의 미국 영주권 카드를 발급했는데 이것을 '그린 카드'라고 한다.

LA에서 터진
인종 차별의 폭탄

1992년, LA(로스앤젤레스)에서는 과연 미국이 선진국인지를 의심하게 만드는 사건이 일어났다. 바로 LA 흑인 폭동이다.

이 폭동이 일어난 결정적인 이유는 인종 차별 문제였다. 로드니 킹이라는 한 흑인이 차를 몰고 과속으로 달리던 중 경찰에게 붙잡혔다. 그가 자신을 체포하려는 경찰들에게 저항하자 백인 경찰들은 인정 사정 없이 로드니 킹을 구타하였다.

백인 경찰이 흑인 범죄 피의자를 구타하는 것은 미국 어디에서나 있는 일이었다. 이 문제가 커진 것은 백인 경찰들이 길바닥에 나뒹굴어 더 이상 저항할 힘도 없는 흑인 한 사람을 마치 짐승 대하듯이 잔인하게 때리는 장면이 텔레비전을 통해 보도가 되었기 때문이다.

이 사건이 있은 뒤, 흑인들은 물론 백인들까지도 경찰에 항의 전화를 걸었다. 결국 경찰은 흑인을 무자비하게 때렸던 백인 경찰들을 잡아 재판에 넘겼다. 온 국민이 지켜 보는 가운데 이들 경찰들에 대한 재판이 열렸다.

LA 흑인 폭동으로 모든 것을 잃은 한국의 한 이민자가 잿더미 속에서 주변을 정리하고 있다.

그런데 재판에 참석한 배심원들은 경찰 모두에게 무죄를 선언했다.

"더 이상 참을 수 없다! 미국은 백인들만의 나라란 말이냐?"

재판 결과를 보고 분노한 LA의 흑인들이 들고 일어났다. 수많은 흑인들이 거리로 몰려나와 차와 가게에 불을 질렀다. 어떤 흑인들은 백인들을 향해 돌을 던지거나 때리기도 하였다.

　그런데 LA 폭동으로 가장 큰 피해를 본 것은 백인들이 아니었다. LA의 흑인들이 많이 모여 사는 곳에서 가게를 하고 있었던 한국 이민자들이었다. 흑인들은 한국인의 가게를 인정 사정 없이 부수고 불태웠다. 이에 미국 정부는 즉각 LA에 비상 사태를 선언하고 군대를 출동시켰다. 그러나 흑인 폭동은 LA는 물론 미국의 다른 도시로까지 번져 나갔다.

　사태가 커지가 폭행 피해자인 로드니 킹이 텔레비전에 나와 흑인들에게 폭동을 멈춰 줄 것을 요구하였다. 군이 출동한 다음에야 폭동은 가라앉았지만 이미 44명의 사람이 폭동 과정에서 목숨을 잃은 뒤였다.

　이 사건은 미국이 여전히 인종 차별적인 국가임을 스스로 세계 앞에 드러낸 사건이었다. 사실 미국의 주류인 백인들은 흑인은 물론 아시아에서 이민을 온 유색 인종에 대해서도 여러 가지로 차별적인 대우를 해 온 게 사실이었다. 그 동안 겉으로 이런 인종 갈등이 크게 드러나지 않았을 뿐이다.

미국을 대표하는 도시들

인구 수를 기준으로 미국의 주요 도시를 꼽으면 아래와 같다.

◆ 뉴욕(뉴욕 주)

허드슨 강을 끼고 있는 미국 최대의 도시다. 세계 금융 산업의
중심인 월 스트리트, 연극의 중심지인 브로드웨이 등이
자리잡고 있어 미국 경제와 문화의 중심 도시로 손꼽힌다. 또한
미국에서 인구가 가장 많은 도시이기도 하다.

◆ 로스앤젤레스(캘리포니아 주)

미국 제2의 도시로 겨울에도 날씨가 별로 춥지 않은 곳이며
할리우드가 자리잡고 있어 미국의 영화 산업을 주도하고 있다.
한국 교포들이 가장 많이 사는 곳이기도 하다.

◆ 시카고(일리노이 주)

호수와 대서양을 연결하는 수로가 생기면서 크게 발달한 공업
도시로, 금주법이 있던 시절에는 미국에서 폭력 사건이 많은
도시로 유명했다. 미국에서 가장 높은 시어스 타워(110층)
빌딩이 있다.

◈ 휴스턴(텍사스 주)

멕시코에 맞서 싸우며 이 도시를 세운 '샘 휴스턴'에서 도시 이름을 따 왔다. 1901년 이 주변 지역에서 석유가

필라델피아에 위치한 펜실베이니아 대학

발견되면서 크게 발전한 도시로, 공업이 발달했으며 미국 항공 우주국(NASA)의 우주선 발사 센터도 있다.

◈ 필라델피아(펜실베이니아 주)

미국의 독립 운동이 처음 일어난 도시이며 최초의 연방 정부 수도가 있었던 곳이기도 하다. 공업은 물론 문화 활동도 활발한 곳으로 시의 중심가에는 델라웨어 강이 흐른다. 펜실베이니아 대학은 세계적인 명문 대학으로 유명하다.

◈ 피닉스(애리조나 주)

농업, 광업, 목재업이 발달한 곳으로 제2차 세계 대전 이후 크게 발달한 도시다. 말을 타고 오래 버티는 로데오 경기로 유명하고, 많은 스포츠 팀이 있는 곳이기도 하다.

뉴욕에서 일어난
충격적인 테러 사건

9 · 11 테러 사건 : 2001년

소련이 붕괴한 뒤 미국은 세계 유일의 강대국이 되었다. 그러나 미국의 힘이 어떠하든 전혀 굴하지 않고 미국에 저항하는 세력은 늘어났다. 그 중 미국이 가장 골머리를 앓는 저항 세력은 이슬람 국가의 테러 조직이었다.

미국은 기독교를 믿는 사람이 대부분인 기독교 국가다. 그리고 미국은 과거부터 이슬람 국가들에게는 눈엣가시 같은 존재인 이스라엘을 적극 지원하는 정책을 펴 왔다. 이스라엘은 유대인들이 제2차 세계 대전 후에 이슬람을 믿는 팔레스타인 지방 사람들을 쫓아 내고 그 자리에 세운 국가다.

미국이 유대인들이 세운 이스라엘을 적극 지원한 것은 미국 사회에서 유대인들이 금융, 언론, 기업에서 매우 큰 영향력을 끼치고 있었기 때문이다. 미국은 이스라엘이 다른 이슬람 국가들과 전쟁을 할 때도 일방적으로 이스라엘 편을 들었다. 이스라엘 문제말고도 미국은 이슬람 국가들이 많이 몰려 있는 중동 지방에서 끊임없이 미국의 영향력을 높이려고 무리한 외교 정책을 폈다.

이런 사실 때문에 미국에 저항하고 미국을 미워하는 이슬람 신도들이 늘어났다. 그 중에는 테러 조직을 만들어 미국에 적극적으로 맞서는 사람들도 나타났다. 미국도 이슬람 테러 조직에 대해서는 적극적으로 맞섰다. 결국 미국과 이슬람 테러 조직의

세계 무역 센터 쌍둥이 빌딩이 비행기 자살 폭탄 테러를 당하고 있는 모습

갈등은 2001년 9·11 테러라는 커다란 비극을 낳았다. 그것은 인류 역사상 가장 큰 테러 사건이다.

뉴욕에는 세계 무역 센터(WTC)라는 쌍둥이 빌딩이 있었다. 그런데 9월 11일 낮, 공중에서 납치된 두 대의 비행기가 각각 110층 쌍둥이 건물에 정면으로 충돌하였다. 비행기를 강제로 빼앗은 테러범들이 비행기를 몰고 이 건물로 돌진한 것이다.

비행기와 정면 충돌한 두 건물에서는 화재가 발생했다. 그리고 두 건물은 약속이나 한 듯이 얼마 가지 않아 통째로 무너지고 말았다. 뉴욕을 상징하는 110층짜리 건물 두 채가 삽시간에 폐허가 되고 만 것이다. 비행기와 충돌한 뒤 미처 피하지 못한 수많은 사람들, 납치된 비행기에 타고 있던 승객들과 테러리스

무너져 내리는 세계 무역 센터 건물과 잔해들

트 모두가 목숨을 잃었다.

9월 11일의 테러는 이것으로 그치지 않았다. 같은 날, 테러범에게 납치된 또 한 대의 비행기는 미국의 국방부가 들어서 있는 건물

세계 무역 센터 테러가 있은 직후 미국 국방부 건물인 펜타곤도 자살 폭탄 테러를 당했다.

인 펜타곤을 향해 돌진하였다. 국방부 건물 한쪽이 크게 파괴를 당했고 역시 비행기에 타고 있는 64명의 승객들도 죽음을 당했다. 납치된 비행기는 한 대 더 있었는데 이 비행기는 펜실베이니아 지방에서 땅에 추락했다.

미국 전역에는 즉시 비상 사태가 선포되었고 한동안 비행기가 미국 하늘을 나는 것이 금지되었다. 결국 그 날 다른 나라에서 온 비행기도 미국에 착륙하지 못하는 사태가 벌어졌다.

미국 정부는 사고 조사를 통해 이 테러를 일으킨 범인들이 오사마 빈 라덴이 이끄는 알 카에다라는 테러 조직이라고 발표했다. 미국은 알 카에다 조직이 아시아에 있는 아프가니스탄에

9 · 11 테러의 배후로 알려진
오사마 빈 라덴

피신해 있다고 주장했다.

아프가니스탄 정부가 이들 테러리스트를 보호하고 있다고 확신한 미국은 아프가니스탄에 군대를 보내 전쟁을 벌였다. 결국 아프가니스탄에는 새로운 정부가 들어섰다. 그러나 사건이 일어난 지 5년이 넘었지만 오사마 빈 라덴은 여전히 잡히지 않은 상태다.

이 사건은 미국인들에게 큰 상처를 던져 주었다. 테러리스트들의 행동을 비난하는 미국인들 중에는 이번 사건의 근본 원인은 미국의 잘못된 외교 정책에 있다고 주장하는 사람도 있었다. 그러나 그런 사람은 극소수였다.

대부분의 사람들은 테러리스트들에게 더욱 강력한 보복을 해야 한다고 생각했다. 또 미국과 이슬람 국가가 전쟁을 벌이는 것에 적극 찬성하였다. '미국을 지키자' 는 여론이 그 어느 때보다 높아졌다. 이 틈을 타서 미국의 적대적인 세력에게 강경책을 펴야 한다고 주장한 부시는 또다시 대통령에 당선이 되었다.

7

한국과 미국의 역사

조선과 미국의 첫 만남

　미국은 19세기 초 이미 중국과 일본 사이에 있는 조선의 존재를 알고 있었다. 아시아 지역에 파견 나온 미국의 관리는 1830년대에 미국 정부에게 조선과 상업 거래를 할 것을 제안하였다. 그러나 당시 조선과 미국은 별다른 외교 관계를 가지지 않았다.

　미국이 적극적으로 해외 진출을 하기 시작하면서 마침내 조선과도 만나게 되었다. 양국의 역사적인 첫 만남은 대포 소리 속의 유혈 충돌로 시작이 되었다.

　1866년 8월, 미국의 상선인 '제너럴 셔먼 호'가 평안도에 있는 대동강을 거슬러 올라왔다. 평안도 관찰사 박규수는 사람을 보내 그들이 온 목적을 물었다.

　"우리는 상업 거래를 하러 왔소. 우리 물건을 당신들 나라의

특산품과 교환합시다."

"우리 나라는 지금 법으로 서양의 선박이 함부로 들어오는 것
을 금지하고 있소. 그러니 얼른 뱃머리를 돌려 평양을 떠나
주시오."

그러나 제너럴 셔먼 호는 이 제의를 거절하였고 이튿날 일부
선원이 평양 땅에 상륙하였다. 조선의 관원이 이를 제지하자 그
를 강제로 붙잡아 감금하기까지 했다.

이를 본 평양 사람들은 대동강변에 나와서 제너럴 셔먼 호를
향해 소리를 지르며 항의하였다. 그러자 배에 있는 선원들은 총

을 쏘며 위협을 했다. 며칠간 이어진 충돌에서 평양 주민 7명이 죽고 많은 사람이 부상을 당했다.

공격을 자제하던 평안도 관찰사 박규수가 명령했다.

"더 이상 가만히 놔 두면 안 되겠구나. 저 배를 공격하라!"

명령을 받은 조선의 군인들은 제너럴 셔먼 호를 향해 포격을 가했다. 조선의 공격을 받은 제너럴 셔먼 호가 침몰하면서 23명의 미국 선원들도 죽고 말았다.

그러나 이것이 끝은 아니었다.

5년 뒤인 1871년, 미국은 제너럴 셔먼 호의 침몰을 구실로 조선을 공격하였다. 미국의 아시아 함대는 군함 5척과 1,200여 명의 군인으로 무장하고 일본의 항구를 출발했다. 그들은 서해안을 거쳐 강화도 지역으로 들어왔다.

당시 조선을 다스리던 임금은 고종이었지만 실제 권력을 휘두르던 사람은 고종의 아버지 흥선 대원군이었다. 대원군은 권력을 잡은

고종 대신 권력을 휘두르며 강력한 쇄국 정책을 폈던 흥선 대원군

신미양요 때
조선을
공격했던
미국의 군함

뒤 줄곧 쇄국 정책을 펴 왔다. 미군 함대가 강화도 앞바다에 나타났다는 소식을 들은 대원군은 분노하였다.

"당장 그들에게 전하라. 그 곳은 우리의 땅이다! 빨리 그 곳을 떠나라고 전하라!"

명령을 받은 조선의 군대는 미국 전함에 경고 사격을 했다. 그러자 미군은 이를 구실삼아 조선 정부에 사과와 손해 배상을 요구하였다.

하지만 조선 정부가 이를 거절하자 미군은 600여 명의 미군을 강화도 초지진에 상륙시켜 공격을 개시했다. 강화도 지역에서 벌어진 전투에서 조선의 군사는 300명이 넘게 죽고 말았다. 그런데 미군 부대 역시 배가 파손되는

강화도 초지진 포대를 점령한 미국의 해군

한국과 미국의 역사 277

병인양요와 신미양요 때 사용했던 화포

등 여러 피해를 입어 다시 철수를 하기에 이르렀다. 이 사건이 신미양요다.

조선이 문호를 개방할 뜻이 전혀 없음을 확인한 미군은 결국 물러갔다. 그러나 언젠가는 그들이 다시 조선에 돌아올 것이 분명하였다.

미국은 대원군이 권력을 잃은 1882년(고종 19년)이 되어서야 조선과 한미 수호 통상 조약을 맺었다. 당시 조선이 미국과의 관계를 개선한 것은 한반도에서 세력을 넓히던 강대국의 세력을 막기 위해서였다. 즉 미국과 외교 관계를 개선해서 일본과 청나라, 러시아를 견제하려고 했던 것이다.

미국에 배신당한 조선

가쓰라-태프트 밀약 : 1905년

조선과 수호 통상 조약을 맺은 미국은 조선에서 여러 가지 경제 사업을 벌였다. 당시 한반도의 북쪽에 있는 평안도에는 금광이 많았는데 미국은 금광의 채굴권을 따는 데 성공했다. 또 전기 회사를 세워 서울에 전기를 공급하는 사업도 벌였다. 이런 사업은 미국 회사의 경제적 이익을 위해 벌인 일들이었다.

한편, 미국이 조선의 왕실과 백성들에게 도움을 준 일도 있었다. 1885년 이후 한국에 들어온 선교사들은 기독교를 조선에 빨리 전파할 목적으로 서울에 여러 학교를 세웠다. 배재 학당, 이화 학당, 경신 학교 같은 곳들이다. 이 학교 덕분에 많은 조선 학생들이 서구의 지식을 공부할 수 있었다. 또한 조선에 최초의 서양식 병원인 광혜원을 세운 것도 미국인이었다.

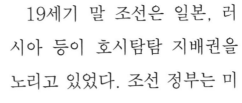

배재 학당(위)과
배재 학당에
다니던
학생들의
모습(아래)

19세기 말 조선은 일본, 러시아 등이 호시탐탐 지배권을 노리고 있었다. 조선 정부는 미국의 힘을 빌려 주변 나라들의 힘을 견제하려고 했다. 그러나 당시 미국의 외교 정책은 외국에서 분쟁이 일어날 경우 간섭하지 말라는 정책을 펴고 있었다.

이 무렵 미국은 스페인과 전쟁을 벌여 스페인의 식민지였던 필리핀을 손에 넣었다. 1905년, 당시 미국 대통령 루스벨트의 지시를 받은 태프트 미국 육군 장관은 일본의 총리 가쓰라를 일본의 수도 도쿄에서 만났다. 두 사람은 조선의 앞날에 어두운 그림자를 드리우는 협정을 비밀리에 맺었다. 바로 '가쓰라―태프트 밀약'이다. 협정의 핵심 내용은 다음과 같다.

미국은 일본의 조선에 대한 지배권을 인정해 준다.
대신 일본은 미국의 필리핀 지배권을 인정해 준다.

그것은 일본의 지배를 원치 않던 조선에게는 비극적인 협정이었다. 일본과 비밀 협정을 맺은 미국은 조선의 정치에서 손을 떼었고, 대신 일본의 눈치를 보지 않고 필리핀을 지배할 수 있게 되었다.

미국의 눈치를 볼 일이 없어진 일본은 얼마 안 가 조선을 자신들의 식민지로 만드는 데 성공하였다. 일본이 을사조약(을사늑약)으로 조선의 지배권을 확실하게 따 내자 미국은 조선에 있

조선의 백성들이 을사조약의 무효를 외치며 거리로 뛰쳐나와 격렬한 시위를 벌이고 있다.

던 미국 공관을 철수시켜서 일본의 조선 지배를 조금도 신경쓰지 않았다. 이 일로 인해 조선과 미국의 외교 관계는 한동안 단절이 되고 말았다.

　미국과 일본이 맺은 이 비밀 조약은 세상에 알려지지 않았다. 이 사실을 까마득히 몰랐던 조선 정부는 일본이 조선을 집어삼키려 하자 미국에 도움을 요청하기까지 했다. 이 사실이 알려진 것은 20여 년이 흐른 뒤 어느 역사학자가 밀약 문서를 발견해서 세상에 알린 다음이었다.

한반도에 들어온 미군

일본의 항복 선언으로 36년간 일본의 지배를 받았던 한국은 드디어 해방을 맞았다. 1945년 8월 15일의 일이다. 그러나 한국은 다시 강대국들에 의해 두 개의 지역으로 나눠지고 말았다. 38°선을 경계로 남과 북으로 갈라진 것이다. 북한에는 소련군이, 남한에는 미군이 해방군으로 들어왔다.

미군은 한국이 단독 정부를 세울 때까지 임시로 한국을 지배하게 되었다. 이 시기를 '미국 군정 시대'라고 한다. 미국 군정은 1948년 남한이 단독 정부를 세울 때까지 이어졌다.

1945년부터 1948년까지 한국의 정치, 외교, 경제는 미군의 손 안에 들어가 있었다. 미군 장군이 우두머리로 있는 미 군정청이 이 일을 담당했다.

한반도에 들어온 미군 중 한국의 역사에 대해 제대로 아는 사람은 없었다. 또한 한국의 미래에 대해서 애정을 가진 사람도 별로 없었다. 단지 미국에게는 제2차 세계 대전 후 미국의 강력한 라이벌이 된 소련이 한반도 전체를 공산주의 국가로 만드는 것을 막는 것이 일차적인 목표였다.

남북한 통일 정부를 세우기 위해
노력하였던 백범 김구 선생

1945년 무렵에는 비록 남과 북이 38°선으로 나뉘어 있었지만 미군과 소련군이 물러난 뒤 통일 국가를 이루리란 기대가 컸다. 김구 선생 등 정치 지도자들도 남북한 통일 정부를 세우기 위해 노력하였던 것이다. 그러나 시간이 지나면서 통일 국가에 대한 희망은 점점 희미해져 갔다.

남한을 지배하던 미군은 소련의 공산주의에 맞설 수 있는 정치 지도자를 후원하였다. 미군이 후원한 정치 지도자는 미국에서 귀국한 반공주의자 이승만이었다. 북한에 있던 소련군도 공산주의자인 김일성을 북한 지도자로 내세웠다.

1947년부터 미국과 소련은 사사건건 대립하였다. 냉전이 시작된 것이다. 그러자 미국은 한반도 문제를 UN(국제 연합)에 넘겼다. 결국 UN의 결의에 따라 한반도에는 남북한이 따로 정부를 세우게 되었다. 그리하여 남한은 1948년 8월 15일에 정부를 세웠다. 3년간 이어져 오던 미군의 군정청 시대도 끝이 났다. 대한 민국 정부가 출범한 뒤 양국은 정식으로 외교 관계를 수립하였다. 외교 관계가 끊어진 지 50여 년 만

미국이 후원한 남한의 초대 대통령 이승만

의 일이었다. 미국 군정 시대는 지났지만 한국은 정부가 세워진 뒤에도 미국에 적극 의존해야 하는 신세였다. 일단 공산주의 정권이 들어선 북한의 위협을 막기 위해서는 미국의 힘이 필요하였던 것이다. 또 당시 한국의 경제 사정은 무척 어려워 미국의 경제적인 지원이 있어야 국민 경제를 유지할 수 있었다.

1949년, 남한에 있던 미군은 철수하였다. 제2차 세계 대전이 끝난 지 4년이 되어 미국 정부는 해외에 있는 미군을 서서히 철수시키는 정책을 폈기 때문이다. 그리하여 한국에는 소수의 미국 군사 고문단만 남게 되었다. 그러나 얼마 안 가 미군은 다시 남한으로 돌아와야 했다. 한반도에서 전쟁이 터졌기 때문이다.

한반도에 닥친
냉전의 비극

한국 전쟁 : 1950년

미국의 힘 때문에 소련은 유럽에서 서유럽에 대한 공산화를 이루지 못했다. 그런데 유럽과 비교하면 아시아는 미국의 힘이 덜 미치는 곳이었다. 한반도도 마찬가지였다.

더구나 한반도 옆에 위치한 중국이 1949년 공산화되어, 북한의 지도자 김일성은 한반도 전체의 공산화를 꿈꾸고 있었다. 김일성은 소련과 중국의 힘을 빌려 1950년 6월 25일에 남한을 기습 공격했다. 한국 전쟁의 시작이었다.

과거 제2차 세계 대전 때 뒤늦게 전쟁에 참여한 미국은 한국 전쟁이 터지자 곧바로 전쟁에 참여하였다. 북한의 뒤에는 소련이 있었기 때문이다.

미국은 즉각 UN 안전 보장 이사회를 소집했다. UN은 북한

군의 철수를 요
구하였다. 그리
고 UN군을 한
반도에 보내 북
한의 공격을 막
을 것을 결의하
였다. UN군 사
령관에는 태평
양 전쟁 때 미

한국 전쟁으로 폐허가 된 서울 을지로의 모습

군을 지휘했던 맥아더 장군이 임명되었다. 미국은 이 모든 과정을 신속하게 그리고 주도적으로 이끌었다.

전쟁은 8월까지 북한군이 크게 우세하였다. 그러나 한국군과 UN군이 연합하여 반격을 가한 9월부터 전세는 역전되었다. 특히 맥아더가 지휘한 인천 상륙 작전이 전세를 역전시키는 결정적인 계기가 되었다.

한국군과 UN 연합군은 북한군을 압록강 너머로 몰아 냈다. 그러자 이번에는 중국이 북한군을 지원하기 위해 대규모 병사를 보냈다. 엄청난 병력을 동원한 중공군 덕분에 북한은 연합군을 38°선 아래로 다시 밀어 냈다. 이 과정에서 수많은 한국군, 북한군, 외국의 군인들 그리고 민간인들이 목숨을 잃었다.

해가 바뀌었다. 남과 북은 38°선 주변에서 크고 작은 전투를 하면서 서로 대치하고 있었다. 금방 끝날 것 같았던 전쟁은 어느덧 장기전이 되고 말았다.

이 무렵 맥아더 사령관은 미국 대통령 트루먼에게 압록강 이북의 만주에 원자 폭탄을 떨어뜨릴 것을 제안했다. 맥아더의 주장은 그렇게 해야 전쟁이 빨리 끝날 수 있다는 것이었다.

인천 상륙 작전을 지시하는 맥아더 장군

그러나 트루먼 대통령은 맥아더의 제안을 받아들이지 않았다. 미국이 원자 폭탄을 떨어뜨릴 경우 핵무기를 가진 소련이 가만히 있지 않을 것이라 염려한 것이다. 만약 소련이 핵공격을 한다면 한국 전쟁은 제3차 세계 대전으로 커질 수도 있었다.

트루먼이 자신의 제안을 거절하자 맥아더는 공공연하게 대통령을 비난했다. 이에 화가 난 트루먼은 맥아더를 사령관 자리에서 해임시켰다.

미국측은 전쟁이 장기전이 되자 비밀 협상을 시작했다. 승자와 패자가 판가름나지 않은 상황에서 휴전을 하고 전쟁을 끝내려는 협상이었다. 협상이 벌어지는 동안에도 38°선

비무장 지대에 남아 있는 기관차의 잔해

부근에서는 여전히 크고 작은 전투가 벌어지고 있었다.

휴전 협정이 맺어진 것은 1953년 7월이었다. 남북한은 38°선에서 각각 2km씩 군대를 철수시키기로 합의했다. 이렇게 해서 생겨난 것이 지금의 휴전선과 이 부근의 비무장 지대다. 이로써 한반도를 피로 물들인 전쟁은 끝이 났다. 냉전의 희생양이 된 것은 유럽이 아니라 한반도와 한민족이었던 것이다.

전쟁이 끝난 뒤 미국은 아시아에서도 공산주의의 진출을 막는 정책을 좀더 적극적으로 펴게 되었다. 이후 남한에 미군을 배치한 것도 그런 까닭에서였다.

21세기의 한국과 미국

한국의 경제 개발 시기 : 1960년대

한국 전쟁이 끝난 뒤 한국과 미국의 관계는 더욱 가까워졌다. 한국 사람들은 한국 전쟁 때 미군이 북한의 침략을 막아 준 것에 대해 고마워하는 마음을 갖고 살고 있었다.

미국은 미국대로 한반도에 소련의 공산주의 세력이 진출하는 것을 막아야 했기 때문에 한반도 지역을 매우 중요한 곳으로 인정하였다. 미국은 한국의 경제 사정이 어려울 때 식량 등을 지원해 주기도 하였다.

1960년대 후반부터 한국은 본격적으로 경제 개발을 시작하였다. 미국은 이미 세계 최고의 경제 대국이었기 때문에 우리 나라는 미국의 협조와 도움을 받아 빠르게 경제 성장을 할 수 있었다. 그리하여 미국은 우리 나라가 가장 많은 제품을 수출하

고 수입하는 나라가 되
었다.

그러나 미국과의 관
계가 늘 좋았던 것은
아니다. 우리 나라가
독자적으로 핵무기를
만들려고 했을 때 미국
은 이를 결사적으로 반
대하였다. 결국 한국은
이 계획을 포기하였다.

군사 독재 시대를 이끌었던 박정희 대통령

한국은 오랫동안 군
인 출신 정치 지도자들이 나라를 다스린 군사 독재 시대를 보
냈다. 미국은 때때로 한국의 인권 상황이 좋지 않다면서 인권을
개선할 것을 요구하기도 했는데 이 문제로 군사 정권을 시행하
던 국가 지도자와 마찰을 빚기도 하였다.

시간이 흐를수록 한국의 국민들 중에서도 미국을 비판적으로
바라보는 사람이 늘어났다. 미국은 한국에서 민주주의가 늦게
발전되더라도 사회 안정만 유지하면 그만이라는 정책을 폈다.
그러자 학생들을 중심으로 미국이 군사 쿠데타로 정권을 잡은

독재 정권을 지지하는 것에 분노하기도 하였다.

1980년대에는 대학가에서 많은 데모가 일어났다. 군사 독재 정권에 저항하는 데모들이었는데, 이 때 많은 학생들이 독재 정권을 지지하는 미국을 향해서 비판의 목소리를 쏟아 냈다. 어떤 대학생들은 미국 문화원 건물에 들어가서 미국의 조치에 항의하기도 하였다.

미국을 좋아하든 싫어하든, 한국에서 미국의 영향력은 날이 갈수록 커졌다. 경제적으로나 문화적으로 미국과의 교류가 더욱 활발해졌기 때문이다. 미국의 대학에 유학을 갔다 온 사람들의 대다수가 우리 사회의 중요한 자리에 진출하는 모습들만 보아도 이를 알 수 있다.

지금도 미국은 우리 나라에게 가장 중요한 나라다. 특히 경제, 국방 분야에서 그러

현재 우리 나라는 반미와 친미를 두고 어느 쪽이 옳은가에 관한 의견이 팽팽히 맞서고 있다. 사진은 한미 정상 회담 반대 시위를 하는 시민들.

하다. 그러나 과거처럼 한국이 무조건 미국에 의존하는 관계는 아니다. 국가 대 국가로서 서로 협력할 것은 협력하고 경쟁할 것은 경쟁하는 관계가 된 것이다. 과거에 비해 우리 나라의 경제적인 힘이 커지고 민주주의도 크게 발전했기 때문이다.

미국에 호의적인 태도를 보이는 것을 '친미'라 하고 호의적이지 않은 태도를 보이는 것을 '반미'라고 한다. 우리 사회에서는 정치, 외교에 관한 문제를 두고 친미가 옳은가 반미가 옳은가 논쟁을 벌이기도 하였다. 요즘도 그런 논쟁은 이어지고 있다.

그러나 무조건적인 친미도 반미도 옳지 않다. 다만 미국이라는 나라를 잘 이용해서 우리 나라의 평화와 번영을 가져오도록 하는 것이 가장 현명한 태도일 것이다.

미국사 연표

연 도	주 요 사 건
1492년	콜럼버스, 신대륙 발견.
1565년	스페인, 신대륙 남부 플로리다에 식민지 건설.
1607년	영국, 버지니아에 최초의 식민지 건설.
1619년	영국, 식민지에 최초로 흑인 노예를 수입함.
1620년	청교도들 '메이플라워 호'를 타고 신대륙으로 건너옴.
1636년	하버드 대학 설립.
1664년	영국, 네덜란드 땅인 뉴암스테르담을 차지, 뉴욕으로 이름 바꿈.
1732년	신대륙의 영국 식민지가 13곳으로 확정됨.
1763년	영국, 프렌치-인디언 전쟁에서 승리함. 캐나다 지역 일부와 미시시피 강 서쪽 지역을 차지함.
1765년	영국 의회 인지 조례 만듦. 식민지 불만 매우 커짐.
1770년	보스턴에서 학살 사건이 일어남.
1773년	보스턴 차 사건 일어남.
1774년	식민지 대표들, 제1차 대륙 회의를 개최함.
1775년	영국을 상대로 한 독립 전쟁이 일어남.
1776년	미국 '독립 선언문' 발표. 연방법을 만듦.

연 도	주 요 사 건
1781년	요크타운 전투에서 승리.
1783년	미국, 영국과 파리에서 평화 조약을 맺음. 독립 승인.
1789년	아메리카 합중국(USA)이 정식으로 탄생함.
	워싱턴이 초대 대통령이 됨.
1791년	미국 연방 은행 설립.
1800년	새로운 수도를 워싱턴으로 정함.
1812년	영국과의 2차 전쟁 일어남.
1819년	스페인으로부터 플로리다 지방을 사들임.
1823년	먼로 대통령, 먼로 선언(독트린)을 발표함.
1830년	최초의 철도 개통. 인디언 강제 이주법을 만듦.
1835년	텍사스, 멕시코에 대해 독립을 선언함.
	1845년에 정식으로 미국 영토가 됨.
1846년	미국, 멕시코와 전쟁. 1848년 미국 승리로 끝남.
1847년	모르몬 교도들, 솔트레이크시티를 건설함.
1848년	캘리포니아 지역에서 금광을 발견함.
	골드 러시가 시작이 됨.
1854년	공화당이 생김.
1860년	링컨이 제16대 대통령으로 당선됨.
	사우스캐롤라이나 주, 연방에서 탈퇴함.

연 도	주 요 사 건
1861년	탈퇴한 남부 주들 남부 연합 만듦.
	남북 전쟁이 일어남(~1865년).
1863년	게티즈버그 전투에서 북군이 승리.
	링컨, 노예 해방 선언을 함.
1865년	링컨, 남부 출신 배우 존 부스의 총에 맞아 사망함.
1867년	러시아로부터 알래스카 땅을 사들임.
1869년	대륙을 횡단하는 철도 개통.
1871년	조선에 와서 통상을 맺을 것을 최초로 요구함.
1879년	에디슨, 백열 전구를 발명함.
1882년	조선과 미국 사이에 한·미 수호 통상 조약이 맺어짐.
1887년	미국, 하와이로부터 진주만을 빌려 다스림.
	조선, 박정양을 미국 공사로 파견함.
1890년	독점을 규제하는 셔먼 독점 금지법 제정.
1898년	미국-스페인 전쟁이 일어남.
	하와이 전체를 미국 땅으로 만듦.
1903년	파나마 운하 지배권을 가짐.
1905년	가쓰라-태프트 밀약.
	미국은 일본의 조선 지배를 묵인함.
1914년	유럽에서 제1차 세계 대전 일어남. 미국은 중립 선언.

연 도	주 요 사 건
1917년	미국, 중립을 깨고 제1차 세계 대전에 참전함.
1919년	제1차 세계 대전을 끝내는 베르사유 조약 맺음.
1927년	린드버그, 대서양 횡단 비행에 성공함.
1929년	주식 시장 주가 폭락. 대공황이 일어남.
1933년	루스벨트 대통령, 뉴딜 정책을 실시함.
1939년	유럽에서 제2차 세계 대전 일어남. 미국은 중립 선언.
1941년	미국, 연합군으로 제2차 세계 대전 참전함.
1945년	제2차 세계 대전을 정리하는 얄타 회담 가짐.
	일본에 원자 폭탄 2개 투하. 태평양 전쟁 끝남.
	미국 주도로 국제 연합(UN)을 만듦.
	승전국 지도자들이 가진 모스크바 회담에서 한국을 신탁 통치하기로 결정함.
1948년	미국, 서유럽을 돕기 위한 마셜 플랜 실시.
1949년	북대서양 조약 기구(NATO) 만들어짐.
	미국, 한국 정부를 정식으로 승인함.
1950년	매카시의 공산주의자 색출 운동 일어남.
	6월 25일, 한반도에서 한국 전쟁 일어남.
1954년	미국 최고 재판소, 공립 학교에서 인종 차별하는 것은 위법이라는 판결 내림.

연 도	주 요 사 건
1958년	미국 항공 우주국(NASA) 만듦.
1959년	알래스카와 하와이, 미국의 정식 주가 됨.
	미국의 주가 모두 50개가 됨.
1961년	쿠바 침공 실패.
1962년	유인 우주선 발사 성공.
	미사일 기지 건설로 쿠바 위기 사태 일어남.
1963년	케네디 대통령 암살당함.
1964년	베트남에서 통킹 만 사건 일어남.
	베트남 전쟁 일어남.
1965년	베트남에 적극적으로 군사 개입 시작.
1968년	킹 목사 암살당함.
1969년	우주선 아폴로 11호 달 착륙 성공.
1972년	미국, 중국과 외교 관계를 수립함.
	워터게이트 사건이 일어남.
1973년	베트남과 평화 조약을 맺음.
	미군 베트남에서 철수하기 시작.
	미국-소련, 핵전쟁 방지 협정 맺음.
1974년	닉슨 대통령, 워터게이트 사건으로 물러남.
1977년	카터 대통령, 인권 외교 정책 추진.

연 도	주 요 사 건
1979년	이란의 미국 대사관에서 인질 사건 일어남.
1980년	미국, 모스크바 올림픽에 참가하지 않음.
1981년	이란-콘트라 사건 일어남.
1983년	미국, 그라나다를 침략해 점령함.
1989년	소련의 정책 변화, 베를린 장벽 붕괴로 냉전 시대 막을 내림.
1991년	이라크가 쿠웨이트를 침공함. 부시 대통령, 이라크에 선전 포고.
1992년	민주당 클린턴 대통령 취임. LA에서 폭동 사태 일어남.
1998년	미국, 영국과 함께 이라크에 미사일 공격.
2001년	부시 전임 대통령 아들 조지 부시 대통령 당선. 9·11 테러 일어남.
2003년	미국, 이라크에 대량 살상 무기가 있을 것이라 주장하며 이라크 전쟁을 일으킴.
2006년	반이민법에 반대하는 대규모 시위가 일어남.

엮은이 김은빈

'스포츠 서울' 신춘 문예에 당선되면서 작품 활동 시작.
장편 동화 〈무수한 갈림길의 보물〉〈우리 함께 뛰는 거야〉를 썼으며,
주요 작품으로는 〈어린이 성공 시대〉〈성공한 학부모의 13가지 모델〉
〈초등 학생이 뽑은 101가지 호기심〉〈초등 학생이 뽑은 101가지 역사 상식〉
〈초등 학생이 뽑은 101가지 시사 상식〉〈초등 학생이 꼭 읽어야 할 101가지 재미있는 이야기〉
〈마법보다 신기한 리더십〉〈초등 학생이 꼭 읽어야 할 교양〉 등이 있음.

한 권으로 읽는

미국사

2006년 6월 20일 초판 1쇄

엮은이 김은빈
그린이 백정현
펴낸이 김병준
펴낸곳 (주)지경사
주 소 서울특별시 강남구 역삼동 790-14호
전 화 (02)557-6351(대표)/(02)557-6352(팩스)
등 록 제10-98호(1978. 11. 12.)

편집 책임 : 한은선
편집 진행 : 김진희
사진 제공 : 연합 포토
ISBN 89-319-1826-7
인터넷 지경 홈페이지를 이용하면 (주)지경사의 모든 정보를 보실 수 있습니다.
www.jigyung.co.kr

LA FLORIDA

ALARVEI

ÆQVINOCTIALIS

MARE AVSTRI

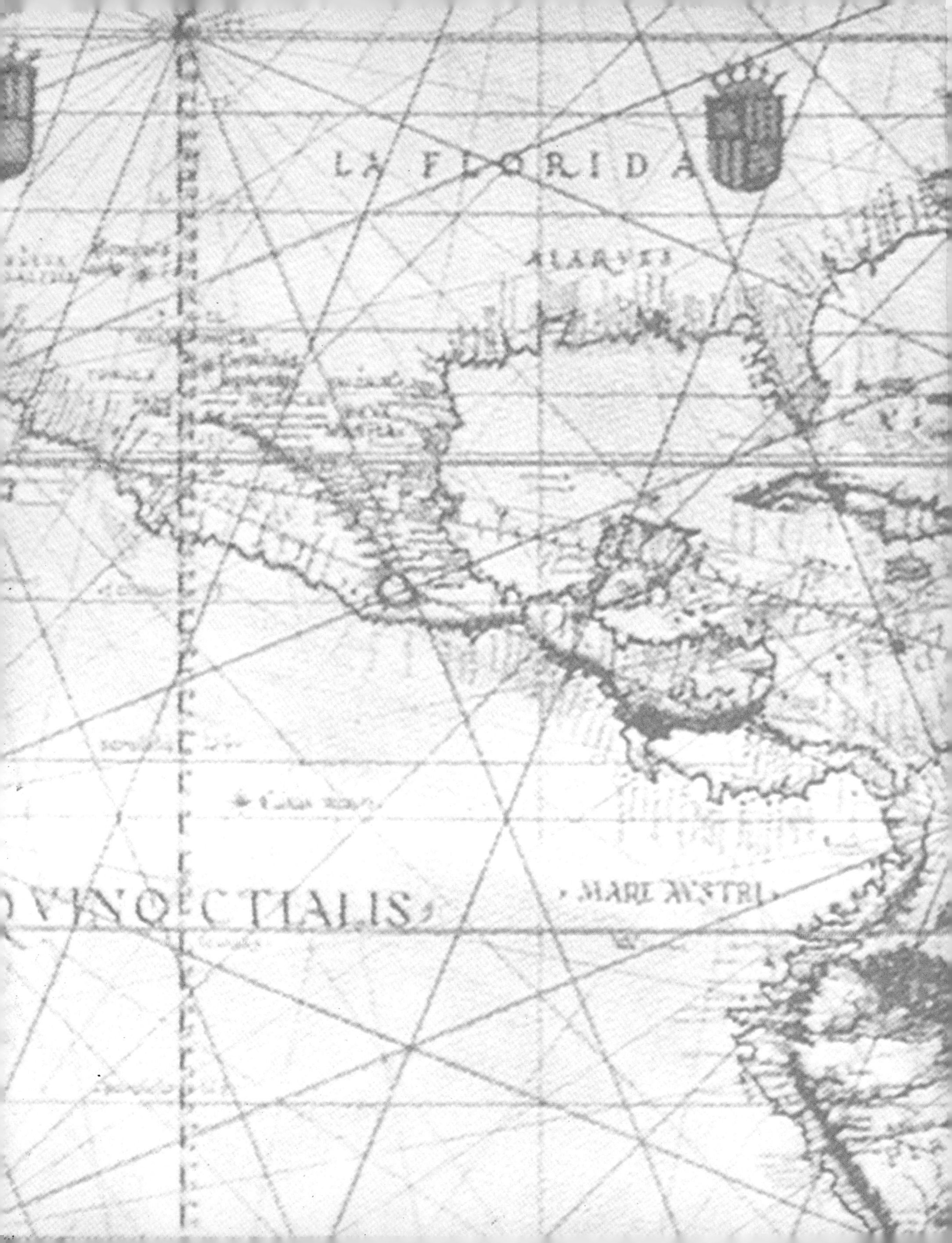

LA FLORIDA
MARE AVSTRI
QVINOCTIALIS